JUL 2000
JUN 2004
W9-BZK-738
JUL X X 2015
WITHDRAWN

A DICTIONARY OF RUSSIAN IDIOMS AND COLLOQUIALISMS

A DICTIONARY OF RUSSIAN IDIOMS AND COLLOQUIALISMS

2,200 Expressions with Examples

by

WASYL JASZCZUN

and

Szymon Krynski

UNIVERSITY OF PITTSBURGH PRESS

Library of Congress
Catalogue Card Number: 67-18691

Manufactured in the United States of America

FOREWORD

This collection includes the following types of expressions:

1. *Phraseological fusions.* These are word combinations whose rigid overall meaning derives neither from their fossilized components no longer independent in use today (e.g., бить баклу́ши = to twiddle one's thumbs, to waste one's time, to loiter, to idle), nor from the accumulative meaning of their viable parts (e.g., замори́ть червячка́ = to have a snack, to take a bite). The semantic content of this type of idiom is sometimes not even remotely determined by the relationship of the whole to its parts.

2. *Phraseological units.* In these phrases the meaning of the whole is partially dependent on the semantic independence of its individual words. These idioms permit of partial substitution, that is, of individual words (e.g., держа́ть [*или* име́ть] ка́мень за па́зухой = to conceal a great hatred toward somebody). Most of the expressions of this type consist of words with concrete meanings which are used in a figurative sense.

3. *Phraseological combinations.* This type of idiom presents the freest of non-free combinations. The comprehension of the meaning of the individual words is mandatory for an understanding of the whole, and as a rule substitutions are possible, but only within certain lexical limits (e.g., изме́рить *кого́-л.* взгля́дом [*или* взо́ром, глаза́ми] = to examine somebody superciliously from top to toe).

4. *Single words used figuratively.* Illustrative of these is: белору́чка = fine gentleman, fine lady.

5. *Colloquialisms.* These are expressions which are peculiar to colloquial Russian (e.g., болту́н instead of lit. сплё́тник; впопа́д instead of lit. кста́ти, уме́стно; галиматья́ instead of lit. бессмы́слица).

Regional and dialectal expressions as well as proverbs are not included.

About 20 per cent of the sentences illustrating the expressions are quotations from Russian literary works, mostly used in undergraduate and graduate courses, the rest have been provided by the authors.

This collection is intended primarily for the advanced American student who has a knowledge of the essentials of Russian grammar and is familiar with a basic Russian vocabulary of about 2,000 words. Occasionally he may have to consult a dictionary for the meaning of some Russian words encountered in the illustrative literary examples.

I acknowledge with gratitude my debt to Mrs. Stefania Krynski, widow of my late collaborator Szymon Krynski. Her invaluable assistance during her husband's final illness enabled him to see his own share in the dictionary completed.

I am also indebted to Professor J. Alan Pfeffer for his advice and for permission to consult the manuscript of his Introduction to *Basic (Spoken) German Idiom List*, to Mr. Joseph E. Harsky for his suggestions and proofreading, and to Mrs. Cecilia Z. Avner for supplying some English synonyms and for typing the manuscript. I should also like to express my gratitude to the University of Pittsburgh Press for the care and efficiency expended on the production of this book.

W. J.

CONTENTS

EXPLANATORY NOTES

1. The expressions are arranged alphabetically according to the parts of speech in the following order: the first *noun* that occurs in the expression; the first *verb* that occurs in the expression, if there is no noun in it; the first *adjective* or *participle* that occurs in the expression, if there is neither noun nor verb in it; the first *pronoun* that occurs in the expression, if there are none of the above parts; the first *numeral* that occurs in the expression, if there are none of the above parts; the first *adverb* that occurs in the expression, if there are none of the above parts; the first *adverbial participle* that occurs in the expression, if there are none of the above parts, etc.

2. Substantivized parts of speech, such as adjectives, participles, numerals, etc., are catalogued as adjectives, participles, numerals, etc., in the arrangement of the expressions.

3. Adverbs derived from nouns without prepositions (e.g., ве́чером) are catalogued as though they were nouns, but adverbs derived from nouns with prepositions (e.g., впо́ру), or from numerals (e.g., два́жды), or pronouns (e.g., по-мо́ему), or adjectives (e.g., вслепу́ю), are considered as adverbs in the total arrangement.

4. The keyword and the initial letter of the first word (including single letter prepositions) in each expression are printed in capital letters, and the entire expression is rendered in boldface in the illustrative sentence, e.g.:

Лома́ть себе́ ГО́ЛОВУ.
На экза́мене Ми́ша до́лго **лома́л себе́ го́лову** над
тру́дным вопро́сом, но наконе́ц дал пра́вильный отве́т.

5. Expressions starting with the same form of a keyword are listed in the alphabetical order of the first word following the keyword, e.g.:

РУКИ вверх.
РУКИ ко́ротки́.
РУКИ прочь.

6. Expressions containing the same form of a keyword, which is preceded by other words, are arranged in the alphabetical order of the first word of each expression, e.g.:

Взять себя́ в РУКИ.
Золоты́е РУКИ.

7. If there are several expressions containing the same form of a keyword, now in first place and now preceded by other words, then the expression with the initial keyword is listed first and the others are arranged according to the aphabetical order of the first word in each expression, e.g.:

РУКА́МИ и нога́ми.
Брать, взять го́лыми РУКА́МИ.
Разводи́ть, развести́ РУКА́МИ.

or

РУКА́ о́б руку.
Не РУКА́.
Пра́вая РУКА́.

8. If the keyword of an expression has a synonymic keyword, then the meaning and the example of the expression are given only once under one of the keywords. The abbreviation см., meaning смотри́ (see), indicates under which keyword the meaning and the example are given, e.g.:

Раскла́дывать, разложи́ть КОСТЁР.
см. Раскла́дывать, разложи́ть ОГО́НЬ.

The meaning and the example of the expression are given under the word ого́нь:

Раскла́дывать, разложи́ть ОГО́НЬ (*или* костёр).
To make/build a fire.
Бойска́уты **разложи́ли** в лесу́ **ого́нь.**

9. An optional word in an expression is put in parenthesis without the preceding conjunction *или,* e.g.:

БА́ТЮШКИ (мой)!

10. After *или* a word in parenthesis is only a synonym of the last word of the expression listed before the parenthesis and not of the whole expression (except when the whole synonymic expression is given in parenthesis).

11. Whenever the aspectual pair of a verb is given in the expression, the imperfective form is listed first.

12. If a personal pronoun or a possessive pronoun adjective is a part of an expression and different forms of these pronouns can be used in this expression, then only two forms are given and they are followed by the abbreviation и т. д. meaning и так да́лее (and so on), e.g.:

Мне, тебе́ и т. д. кака́я ПЕЧА́ЛЬ.
Не твоя́, его́ и т. д. ПЕЧА́ЛЬ.

13. A pronoun and/or a preposition in italics reflect the case required by the expression.

ABBREVIATIONS

Russian

вводн. сл.	вво́дное сло́во	parenthetic word
воен.	вое́нное выраже́ние	military expression
инф.	инфинити́в	infinitive
и т. д.	и так да́лее	and so on
и т. п.	и тому́ подо́бное	and the like
-л.	-ли́бо	This particle indicates indefiniteness, e.g., *кому́-л.* = to somebody, to someone, to anybody, to anyone
нареч.	наре́чие	adverb
наст. вр.	настоя́щее вре́мя	present tense
повел. накл.	повели́тельное наклоне́ние	imperative mood
см.	смотри́	see

English

attr.	attributively	атрибути́вно
etc.	et cetera	и так да́лее, и про́чее
ger.	gerund	дееприча́стие
imperat.	imperative	повели́тельное наклоне́ние
inf.	infinitive	инфинити́в
lit.	literary	литерату́рный

A DICTIONARY OF RUSSIAN IDIOMS AND COLLOQUIALISMS

А

А не то . . .
Or . . .
Но ты не церемо́нься! е́жели ску́чно, то приезжа́й ко мне, **а не то** так и про́сто пришли́ за мной.
Салтыков-Щедрин, Круглый год.

А то . . .
1. Otherwise.
2. In fact, in reality.
3. Because, since.
1. Учи́сь, сын, **а то** не вы́держишь экза́мена.
2. Уж так бы и говори́ла . . . **а то** ещё лжёт.
Лермонтов, Вадим.
3. (Арка́дина:) Ко́стя, закро́й окно́, **а то** ду́ет.
Чехов, Чайка.

С пе́рвого А́БЦУГА.
From the first.
Он **с пе́рвого а́бцуга** одержа́л побе́ду.

На АВО́СЬ.
On the off-chance, on nerve alone.
Ему́ удало́сь: пошёл экзаменова́ться **на аво́сь** и вы́держал.

АД кроме́шный.
An unbearable situation.
Как ему́ вы́браться из **кроме́шного а́да**, в кото́ром он живёт?
Гл. Успенский, Кой про что.

Не по А́ДРЕСУ.
To the wrong person.
Извини́те, я принуждён вам сказа́ть, что ва́ше крити́ческое замеча́ние о Никола́е сде́лано **не по а́дресу.**

По А́ДРЕСУ.
About somebody, concerning somebody.
— Прошу́ без намёков **по** моему́ **а́дресу,** — оби́дчиво прерва́л Жма́кин.
Куприн, Болото.

АДСКИЙ.
Unbearable.
Сего́дня у нас **а́дский** хо́лод.

(Ни) АЗА́ (в глаза́) не знать.
Not to know a thing.
А как вести́ счёты да расчёты, да управля́ть име́нием!
Я **аза́ (в глаза́) не зна́ю.**
А. Островский, Без вины виноватые.

От АЗА́ до и́жицы.
см. От А́ЛЬФЫ до оме́ги.

АЗА́РТНИЧАТЬ.
To risk.
Ники́та никогда́ не лю́бит **аза́ртничать** в игре́ в ка́рты.

АЙДА́! (*или* гайда́!).
(Indicates a quick movement, action, speed, etc.).
Ба́рин сел на маши́ну — и **айда́** в Петербу́рг!
Салтыков-Щедрин, Благонамеренные речи.

Де́лать, сде́лать АКЦЕ́НТ.
To emphasize.
Депута́т парла́мента в свое́й ре́чи **сде́лал акце́нт** на необходи́мости сохране́ния хоро́ших отноше́ний с сосе́дним госуда́рством.

От А́ЛЬФЫ до оме́ги (*или* от аза́ до и́жицы).
From the beginning to the end, from A to Z.
Ива́н, приготовля́ясь к экза́мену, повтори́л арифме́тику **от а́льфы до оме́ги.**

Выде́лывать АНТРАША́.
To cut capers.
На танце́вальном ве́чере Ива́н, как бала́ганный шут, **выде́лывал антраша́.**

Пройти́ с АНШЛА́ГОМ.
The house was sold out.
В драмати́ческом теа́тре пье́са **прошла́ с аншла́гом.**

Дости́гать, дости́гнуть (дости́чь) АПОГЕ́Я сла́вы.
To achieve/reach the height/summit of glory.
В два́дцать лет скрипа́ч Кубе́лик уже́ **дости́г апоге́я сла́вы.**

Во́лчий АППЕТИТ.
Voracious appetite.
Алекса́ндр верну́лся с охо́ты и с **во́лчьим аппети́том** съел у́жин.

Как в АПТЕ́КЕ.
Exactly, precisely.
Этот портно́й испо́лнил зака́з так аккура́тно, **как в апте́ке.**

Сдава́ть, сдать в АРХИВ.
To shelve, to bury in oblivion.
Весь его́ гардеро́б давно́ пора́ **сдать в архи́в.**

Как бу́дто АРШИН проглоти́л.
As stiff as a poker.
Её муж де́ржится в гуса́рском мунди́ре, **как бу́дто арши́н проглоти́л.**

Мéрить на свой АРШИ́Н.
To measure other's corn by one's own bushel.
Этот деспоти́ческий стари́к **мéрит** всех и всё **на свой арши́н.**

АТТЕСТА́Т зрéлости.
Graduation certificate, diploma.
Сын Петрóвых получи́л **аттестáт зрéлости,** и по э́тому слу́чаю у них сегóдня приём.

АТТЕСТОВА́ТЬ себя́.
To show oneself.
Он **аттесту́ет себя́** в трудé.

АУ.
Done for, it's the end.
Уж **ау** друг: пиши́ пропáло.

АУКАТЬ; аýкаться.
To halloo, to call to each other.
Луку́тин предстáвил себé э́тот лес лéтом. Земляни́ка, тень, пáпоротник, дéвушки **аýкают.**

Эренбург, Буря.

А́ХНУТЬ.
1. To bang.
2. To exclaim, to gasp with surprise.
1. Во врéмя дрáки пья́ный Серёжа **áхнул** своегó проти́вника ножóм по головé.
2. Когдá он сказáл, что он рýсский, óбе дáмы немнóго удиви́лись и дáже **áхнули.**

Тургенев, Вешние воды.

Не АХТИ́ как.
Not particularly, not particularly well.
В общежи́тии студéнтам бы́ло **не ахти́ как.**

Не АХТИ́ какóй (какáя, какóе, каки́е).
Not very wonderful.
Егó брат получи́л жáлование, но **не ахти́ какóе.**

Б

Бой-БА́БА.
Energetic woman, resolute woman.
Он слáбый, нереши́тельный мужчи́на, затó егó женá — **бой-бáба.**

БА́БУШКА нáдвое сказáла.
We shall see what we shall see; you can say that again!
— Мы пóсле обéда зася́дем в ералáш, и я егó обыгрáю.
— Хе-хе-хе, посмóтрим! **Бáбушка нáдвое сказáла.**

Тургенев, Отцы и дети.

Пти́чий БАЗА́Р.
Seashore colony of birds.
В э́том годý мои́ ребя́та бы́ли нá море и ви́дели **пти́чий базáр.**

БАЙБА́К.
Lazybones.
С мáлых лет он (Облóмов) привыкáет быть **байбакóм,** благодаря́ томý, что у негó и подáть и сдéлать — есть комý.

Добролюбов, Что такое обломовщина.

Бить БАКЛУШИ.
To twiddle one's thumbs; to waste away one's time, to loiter away, to idle.
Поздорóвавшись, пáпа сказáл, что бýдет нам в дерéвне **баклýши бить,** что мы перестáли быть мáленькими и что порá нам серьёзно учи́ться.

Л. Толстой, Детство.

Кóнчен БАЛ.
It's all over.
Бóльше тудá я ни ногóй. **Кóнчен бал.**

Н. Успенский, Грушка.

БАЛАГА́НИТЬ.
To play the buffoon.
— Да не **балагáнь,** говори́ в чём дéло!

Станюкович, Пассажирка.

БАЛАГУР.
Joker, jester.
Этот **балагýр** рассмеши́л гостéй до слёз.

БАЛДА́.
Blockhead, dunderhead.
— Кудá, кудá поéхал? Что за **балдá?** Не мóжет прáвой руки́ отличи́ть от лéвой!

Новиков-Прибой, Цусима.

Идти́, пойти́ ва-БАНК.
To stake one's all.
Почемý Артýрская эскáдра в послéдний момéнт пошлá **ва-банк** и не далá генерáльного сражéния?

Новиков-Прибой, Цусима.

Метáть, прометáть БАНК.
To hold the bank (cards) at a gaming table.
Пóсле обéда стáли мы уговáривать хозя́ина **прометáть банк.**

Пушкин, Выстрел.

Задáть БА́НЮ.
To make it hot.
За плохýю рабóту хозя́ин **зáдал** емý **бáню.**

Жить БА́РИНОМ.
To live like a lord.
Вот говоря́т, что Фёдор Фёдорович разбогатéл и **живёт бáрином.**

Кисе́йная БА́РЫШНЯ.
Bread-and-butter miss.
В настоя́щее вре́мя **кисе́йная ба́рышня** не ча́сто встреча́ется.

БА́СТА.
Stop, that'll do, that's enough.
Как то́лько нала́дятся дела́ по́сле войны́ — выхожу́ на пе́нсию, и **ба́ста.**
Панова, Спутники.

БА́ТЮШКИ (мой)!
Good gracious!
— **Ба́тюшки мои́!** что за свет? — с трево́гой произнесла́ она́, гля́дя на мерца́ющий ого́нь.
Гончаров, Обрыв.

БАЦ.
Bang!
Ива́н пришёл к нему́ помири́ться, а он его **бац** по лицу́.

Быть под БАШМАКО́М у жены́.
To be henpecked.
Нет сомне́ния в том, что он **у жены́ под башмако́м.**

Бежа́ть БЕ́ГОМ.
To hurry, to fly.
Что́бы не опозда́ть на по́езд, он **бежа́л бе́гом.**

Обраща́ть, обрати́ть в БЕ́ГСТВО.
To put somebody to flight, to make somebody beat a hasty retreat.
Начался́ бой. Наш эскадро́н **обрати́л** неприя́тельский отря́д **в бе́гство.**

Обраща́ться, обрати́ться в БЕ́ГСТВО.
To take to flight, to take to one's heels.
Бой продолжа́лся то́лько час, и враг **обрати́лся в бе́гство.**

БЕДА́ как.
Awfully.
Беда́ как безде́лье надое́ло.

Лиха́ БЕДА́ нача́ло (*или* нача́ть).
The first step is the costliest; every beginning is difficult; the first stroke is half the battle.
Не печа́лься, ты забы́л, что **лиха́ беда́ нача́ло.**

Что за БЕДА́?
What does it matter?; there is no great harm in that.
Ну так **что за беда́?** Сто́ит ли беспоко́иться?

БЕЗГОЛО́ВЫЙ, безголо́вая.
Scatterbrained, harebrained.
Ах, я **безголо́вая**: забы́ла в ваго́не ве́щи.

БЕ́ЗДНА забо́т.
A thousand and one cares, a world of trouble.
Жизнь его напо́лнена была́ **бе́здной забо́т.**

Что за БЕЗОБРА́ЗИЕ!
It's disgraceful/scandalous!
Что за безобра́зие! Он опя́ть пьян и говори́т глу́пости!

БЕЗОБРА́ЗНИЧАТЬ.
To behave outrageously/disgracefully, to behave like a hooligan.
В толпе́ **безобра́зничал** оди́н пья́ный: ему́ всё хоте́лось пляса́ть, но он всё вали́лся на́ сторону.
Достоевский,
Преступление и наказание.

Люби́ть до БЕЗУ́МИЯ.
To love to distraction.
Он **лю́бит до безу́мия** до́чку капита́на.

БЕЗУ́МНЫЙ.
Very strong, extreme in its manifestation; terrible, dreadful.
Мной овладе́л **безу́мный** страх.

Кружи́ться (*или* верте́ться) как БЕ́ЛКА в колесе́.
To run around like a chicken with its head cut off, to run around like a squirrel in a cage.
Со́фья **кру́жится** по хозя́йству, **как бе́лка в колесе́.**

БЕЛОРУ́ЧКА.
Fine gentleman, fine lady.
Ты не гнуша́лся никаки́м трудо́м: «Чернорабо́чий я — не **белору́чка!**» — Гова́ривал ты нам.
Н. Некрасов,
Сцены из лирической комедии «Медвежья охота».

Реве́ть БЕЛУГО́Й.
To howl with frenzy.
Ребёнок **ревёл белу́гой** от бо́ли.

Как БЕЛЬМО́ на глазу́.
An eyesore.
Она́ жа́луется, что постоя́нное прису́тствие Со́ни, **как бельмо́ на глазу́.**

До БЕСКОНЕ́ЧНОСТИ.
For ever and ever, ad infinitum.
Разгово́р был тако́го ро́да, что мог продолжа́ться **до бесконе́чности.**
Лермонтов, Княгиня Лиговская.

Рассыпа́ться, рассы́паться ме́лким БЕ́СОМ *перед кем-л.*
To fawn upon somebody, to kow-tow to somebody.
Он **рассыпа́ется ме́лким бе́сом** пе́ред нача́льником.

БЕСПОДО́БНО.
Excellently, splendidly, incomparably.
Говоря́т, что она́ **бесподо́бно** игра́ет на роя́ле.

Лири́ческий БЕСПОРЯ́ДОК.
Poetic disorder.
В кварти́ре изве́стного ску́льптора **лири́-**

ческий беспоря́док: всё разбро́сано, не у́брано.

За БЕСЦЕ́НОК.

For next to nothing, for a (mere) trifle, for an absurdly low price, for a song.

А́нна Ива́новна продала́ свой городско́й дом **за бесце́нок.**

Жить как на БИВ(У)А́КАХ.

To live in a temporary lodging.

Неудиви́тельно, что он **живёт как на бив(у)а́ках;** э́то вошло́ у него́ в привы́чку по́сле вое́нной слу́жбы.

Смотре́ть БИРЮКО́М.

To look morose/sullen.

У них фами́льное схо́дство: о́ба, оте́ц и сын, **смо́трят бирюко́м.**

БИТКО́М наби́то.

Packed, chockfull, full to overflowing.

В ваго́нах по́езда, кото́рым мы прие́хали, наро́ду бы́ло **битко́м наби́то.**

Всех БЛАГ!

Best of luck! All the best!

Ива́н Дми́триевич, провожа́емый пожела́ниями **«всех благ»,** отпра́вился в путь.

Ни за каки́е БЛА́ГА (в ми́ре).

Not for the world, neither for love nor money.

Она́ **ни за каки́е бла́га** не хоте́ла продолжа́ть своего́ образова́ния.

Во всём БЛЕ́СКЕ.

In all the glory.

Она́ появи́лась на эстра́де **во всём бле́ске** свое́й красоты́.

Пе́рвый БЛИН ко́мом.

You must spoil before you spin.

Ири́на ши́ла для себя́ пе́рвый раз пла́тье на шве́йной маши́не и испо́ртила весь материа́л. Ничего́, **пе́рвый блин ко́мом.**

БОБЫ́ разводи́ть.

To beat around the bush.

— Так за каки́м де́лом-то прие́хала? Говори́ уж пря́мо, не **разводи́ бобо́в**-то.

Мамин-Сибиряк, Дикое счастье.

Накажи́ меня́ БОГ.

God strike me.

— Не понима́ю заче́м врать! — се́рдится друго́й дли́нный. — Врёт, как скоти́на. — **Накажи́ меня́ Бог,** пра́вда...

Чехов, Тоска.

Приведёт, привёл БОГ (*или* Госпо́дь, судьба́, слу́чай).

To have a chance, to be given a chance, God willing!

Здра́вствуйте, Степа́н! Вот **привела́ судьба́** где встре́титься!

Ра́ди БО́ГА.

For God's sake.

— Не пуга́йтесь, **ра́ди Бо́га,** не пуга́йтесь! — сказа́л он (Ге́рманн) вня́тным и ти́хим го́лосом.

Пушкин, Пиковая дама.

Чем БОГА́ТЫ, тем и ра́ды.

You are welcome to all we have.

Мари́я Ива́новна приве́тствовала свои́х госте́й слова́ми: **«Чем бога́ты, тем и ра́ды».**

БОК о́ бок.

Side by side, shoulder to shoulder, cheek to cheek.

Я рабо́тал с ним на заво́де **бок о́ бок** два го́да.

Налома́ть (*или* намя́ть) БОКА́ *кому-л.*

To give somebody a licking/sound thrashing.

Наш сын Ко́ля в слеза́х прибежа́л домо́й: това́рищи **налома́ли** ему́ **бока́.**

Поднима́ть, подня́ть БОКА́Л за здоро́вье.

To raise one's glass, to drink to one's health.

Сего́дня был день рожде́ния Степа́на Ива́новича, и мы **по́дняли бока́л за** его́ **здоро́вье.**

По́д БОКОМ (*или* под бо́ком).

Hard by, quite near.

Положе́ние на́ше бы́ло крити́ческое — враг был **под** са́мым **бо́ком.**

По́ БОКУ.

Aside.

Моя́ жизнь не удала́сь, **по́ боку** её.

Герцен, Кто виноват?

БОЛТУ́Н.

A gossip, a tattler, a leaky vessel.

Послу́шай моего́ сове́та, ему́ об э́том не говори́, он — изве́стный **болту́н.**

Влете́ть как БО́МБА.

см. Влете́ть БО́МБОЙ.

Влете́ть БО́МБОЙ (*или* влете́ть как БО́МБА).

To burst in.

Вчера́ на вечери́нке у Тати́щевых их сын Воло́дя **влете́л бо́мбой** в ко́мнату, чем испуга́л всех госте́й.

БОРО́ТЬСЯ с сами́м собо́й.

To wrestle with oneself.

Роди́тели зна́ли, что их сын, пре́жде чем расста́ться с возлю́бленной, бу́дет до́лго **боро́ться с сами́м собо́й.**

Как бездо́нная БО́ЧКА.

Like a bottomless well.

Он, **как бездо́нная бо́чка:** поднима́ет бока́лы за всех и за всё, и никогда́ не уви́дишь его́ пья́ным.

БОЮ́СЬ сказа́ть (*или* назва́ть).

Cannot say for sure.

— Пра́вда ли, что он влюблён в Ната́шу?

— **Бою́сь сказа́ть.**

Наш БРАТ.
Our kind of people.
Отчего́ э́то молоды́е лю́ди **на́шего бра́та** — старика́ никогда́ слу́шаться не хотя́т?
Тургенев, Холостяк.

На БРА́ТА.
Per person, per head.
(Де́вушки) доста́ли воды́ и бе́режно разда́ли её, по кру́жке **на бра́та.**
Каверин, Два капитана.

БРАТЬ всем.
To succeed by dint of everything.
Она́ **всем берёт:** очарова́тельным лицо́м, и досто́инством, и умо́м.

Разреши́ться от БРЕ́МЕНИ.
To be delivered of a child.
Анна Петро́вна благополу́чно **разреши́лась от бре́мени** до́черью.

БРО́СИТЬ ходи́ть, бро́сить писа́ть, бро́сить чита́ть и т. д.
To stop calling on, to stop writing, to stop reading, etc.
Пе́рвое вре́мя я ча́сто ходи́л по реда́кциям и предлага́л стишки́, но по́сле **бро́сил ходи́ть** — не бра́ли...
Зощенко, Крестьянский самородок.

БРО́СКИЙ, бро́ская.
Garish, showy/gaudy.
Она́ отлича́лась **бро́ской** красото́й.

БУДЕТ.
That'll do; that's enough.
«**Бу́дет** вам разгова́ривать, — суро́вым то́ном проговори́л дире́ктор, — рабо́тать меша́ете».

Пусть БУДЕТ по-ва́шему.
Do it your own way.
Ну, я не хочу́ с ва́ми спо́рить. **Пусть бу́дет по-ва́шему.**

Что БУ́ДЕТ, то бу́дет.
Come what may.
Не плачь, Ма́ша, ничего́ не помо́жет; **что бу́дет, то бу́дет.**

БУДТО?
Really? Is that so?
«Ната́ша се́рдится на вас». — «**Бу́дто?**» — промо́лвил Фе́дя.

БУДТО бы.
Allegedly, ostensibly, supposedly.
Говоря́т, **бу́дто бы** онниче́м не дово́лен.

БУДЬ, что бу́дет.
Come what may.
Будь, что бу́дет, а я ему́ скажу́ пра́вду!

БУДЬТЕ добры́.
см. БУДЬТЕ любе́зны.

БУДЬТЕ любе́зны (*или* добры́) (+ повел. накл.).
Please (+ imperat.).
Бу́дьте любе́зны, напеча́тайте на маши́нке э́то письмо́.

БУ́ДЬТЕ любе́зны (*или* добры́) (+ инф.).
Would you be so kind as (+ inf.).
Бу́дьте добры́ напеча́тать на маши́нке э́то письмо́.

БУКВА в бу́кву.
Literatim, letter for letter, verbatim.
Это письмо́ переведено́ **бу́ква в бу́кву** с англи́йского языка́ на ру́сский.

БУКВА зако́на.
The letter of the law.
Этот заве́дующий никогда́ не отступа́ет от **бу́квы зако́на.**

Мёртвая БУКВА.
Dead letter, dead issue.
В его́ голове́ носи́лась мысль о противоре́чиях жи́зни, о высо́ком уче́нии нра́вственности, кото́рое остаётся **мёртвой бу́квой.**
Скиталец, Октава.

БУРЧА́ТЬ, пробурча́ть.
To mutter, to mumble.
Этот стари́к всё вре́мя что-то **бурчи́т.**

С БУХТЫ-бара́хты.
Suddenly, without rhyme or reason, offhand.
— Удиви́тельная же́нщина! Полюби́ла так, с **бу́хты-бара́хты,** да́же не познако́мившись и не узна́вши, что я за челове́к.
Чехов, На даче.

Как не БЫВА́ЛО.
Not a trace, as if it had never been.
Взошло́ со́лнце, и дождя́ **как не быва́ло.**

Как ни в чём не БЫВА́ЛО.
As though nothing were the matter, as though nothing had happened.
Всем изве́стно, что он опа́сный престу́пник, а он хо́дит себе́, **как ни в чём не быва́ло.**

Ничу́ть не БЫВА́ЛО.
Not at all.
Ско́лько раз чита́ли мы э́ту кни́гу — пора́ бы уж бы́ло ей и надое́сть; **ничу́ть не быва́ло:** всё ста́рое в ней так но́во, так свежо́, как бу́дто мы чита́ем её в пе́рвый раз.
Белинский,
Герой нашего времени.
Соч. М. Лермонтова.

Здоро́в как БЫК.
As strong as a horse.
Он не до́лжен боя́ться э́той рабо́ты на заво́де: он **здоро́в как бык.**

Упёрся как БЫК.
Stubborn as a mule.
Он **упёрся как бык** и наста́ивает на своём, не слу́шая никаки́х до́водов.

БЫЛЬЁМ поросло́.
Long forgotten, buried in oblivion.
Мно́го лет тому́ наза́д я с ним поссо-

рился и у меня́ была́ не́нависть к нему́, но всё э́то уже́ **быльём поросло́.**

Головокружи́тельная БЫСТРОТА́.

Terrific speed, dizzying speed.

Ло́шади мча́лись с **головокружи́тельной быстрото́й.**

БЫТЬ (*или* прийти́сь) впо́ру.

To fit.

Сапоги́ **бу́дут** мне **впо́ру.** Пла́тье, кото́рое она́ получи́ла в день имени́н, **пришло́сь** ей **впо́ру.**

БЫТЬ сами́м собо́й.

To conduct oneself naturally, according to one's virtues.

Че́стный и скро́мный челове́к **бу́дет** всегда́ **сами́м собо́й** в отноше́нии к други́м.

Так и БЫТЬ.

Let it be so; be it so.

Но, **так и быть:** прости́мся дру́жно,
О ю́ность лёгкая моя!

Пушкин, Евгений Онегин.

В

Эка (*или* велика́) ВА́ЖНОСТЬ.

Big deal!

Э́ка ва́жность служи́ть пи́сарем в конто́ре.

ВА́ЛОМ вали́ть.

To come in droves, to flock.

Навстре́чу президе́нту **ва́лом вали́л** наро́д.

Ско́лько ВАМ?

How much do you want?

«**Ско́лько вам** мя́са: фунт, два?» — «Два фу́нта, пожа́луйста».

Соло́менная ВДОВА́.

Grass widow.

Муж Зина́иды вояжёр, и ей ча́сто прихо́дится быть **соло́менной вдово́й.**

Соло́менный ВДОВЕ́Ц.

Summer bachelor.

Жена́ Па́вла тепе́рь на куро́рте, и он — как ка́ждый **соло́менный вдове́ц** — сам до́ма хозя́йничает.

ВДОЛЬ и поперёк.

1. Far and wide, through length and breadth.
2. Thoroughly, minutely.

1. (Инса́ров) пожела́л верну́ться на ро́дину. Был в Со́фии и Ты́рнове, всю Болга́рию исходи́л **вдоль и поперёк.**

Тургенев, Накануне.

2. Мне не на́до о нём говори́ть: я зна́ю его́ **вдоль и поперёк.**

ВЕЗТИ́ *кому-л., чему-л.*

To be lucky, to have luck.

Он перее́хал в друго́й го́род, и там ему́ во всём си́льно **везёт.**

ВЕК векова́ть.

To be doomed, to spend one's whole lifetime.

«Как ви́дно, — вздохну́л Ива́н, — нам придётся в э́том захолу́стье **век векова́ть**».

Во всём ВЕЛИ́ЧИИ.

In all grandeur/majesty.

Тут Серёжа явля́ет себя́ пе́ред невеже́ственным Матве́ем **во всём вели́чии** своего́ тала́нта.

Чехов, Художество.

ВЕРЁВКИ вить *из кого-л.*

To twist somebody around one's little finger, to have a strong influence on someone.

Он безво́льный челове́к, и все зна́ют, что из него́ **верёвки** мо́жно **вить.**

Что ВЕ́РНО, то ве́рно.

There's no gainsaying; there is no doubt; it is an incontrovertible fact.

Что ве́рно, то ве́рно, он тебе́ де́нег не отда́ст.

На ВЕС зо́лота.

Worth its weight in gold, at an exorbitant price.

В э́том магази́не всё **на вес зо́лота.** То́лько бога́тые лю́ди в состоя́нии там покупа́ть.

Пропа́сть бе́з ВЕСТИ.

To be missing.

Неизве́стно, что случи́лось с му́жем Ната́ши: он был на войне́ и **пропа́л бе́з вести.**

ВЕСЬ нару́жу.

Unreserved/frank.

Михаи́л **весь нару́жу:** у него́, что на уме́, то и на языке́.

ВЕ́ТЕР в голове́.

One is a light-minded/light-headed/thoughtless/frivolous person, one is a giddy-pate/feather-brain.

С ним невозмо́жно говори́ть о серьёзных дела́х: у него́ всегда́ **ве́тер в голове́.**

ВЕ́ТЕР свисти́т в карма́нах.

One has no money.

— Анто́н Ильи́ч, одолжи́те мне, пожа́луйста, два́дцать до́лларов.

— К сожале́нию, Ники́та Степа́нович, у меня́ **ве́тер свисти́т в карма́нах.**

Идёт, куда́ ВЕ́ТЕР ду́ет.

One has no firm convictions; one adapts

himself to the prevailing opinions/views/tastes.
Не заслу́живает дове́рия тот, кто **идёт, куда́ ве́тер ду́ет.**

То́лько по́здно ВЕ́ЧЕРОМ.
It was not until late in the evening.
По́сле опера́ции он чу́вствовал себя́ пло́хо весь день, и **то́лько по́здно ве́чером** ему́ ста́ло лу́чше.

Це́лая ВЕ́ЧНОСТЬ.
Very long time.
Я Степа́на не ви́дел **це́лую ве́чность** и о́чень обра́довался, когда́ неожи́данно встре́тил его́ на у́лице.

ВЗАД и вперёд.
To and fro, backwards and forwards.
Молоды́е супру́ги прогу́ливались по да́чной платфо́рме **взад и вперёд.**

Ни ВЗАД, ни вперёд.
Neither backwards nor forwards.
Ло́шадь заупря́милась и **ни взад, ни вперёд.**

(Быть) на ВЗВО́ДЕ.
To be in the state of intoxication, to be in one's cups.
От одно́й рю́мки он был уже́ **на взво́де.**

Броса́ть, бро́сить бе́глый ВЗГЛЯД.
To cast/shoot a glance/momentary look.
Он **бро́сил бе́глый взгляд** на представленные ему́ бума́ги и сразу́ узна́л, в чём де́ло.

На пе́рвый ВЗГЛЯД.
At first glance, at first sight, at the first impression.
На пе́рвый взгляд он не произвёл на меня́ хоро́шего впечатле́ния, но, когда́ я его́ бли́же узна́л, он оказа́лся ми́лым челове́ком.

Прикова́ть ВЗГЛЯД.
To attract attention.
В новогóднюю ночь, в теа́тре, ба́льный туале́т Анны **прикова́л взгляд** прису́тствующей пу́блики.

С пе́рвого ВЗГЛЯ́ДА.
At first sight, prima facie.
Он **с пе́рвого взгля́да** влюби́лся в свою́ секрета́ршу и жени́лся на ней.

Изме́рить *кого-л.* ВЗГЛЯ́ДОМ (*или* взо́ром, глаза́ми).
To examine somebody superciliously from top to toe.
Да́ма вели́чественно **изме́рила** его́ **взо́ром** — и, не сказа́в ни сло́ва, пошла́ да́льше.

Тургенев, Дым.

Моло́ть ВЗДОР.
To talk nonsense/rot.
«Се́ня, хва́тит моло́ть вздор», — сказа́ла Ма́ша.

Поро́ть ВЗДОР.
см. Поро́ть ЧЕПУХУ.

Не ВЗДУ́МАЙ (-те) (+ инф.)
Don't take it into your head.
«Ива́н, **не взду́май** кури́ть в лесу́», — сказа́л оте́ц.

Не ВЗИРА́Я на.
In spite of, notwithstanding, disregarding.
Не взира́я на безвы́ходное положе́ние сы́на, оте́ц не хоте́л ему́ помо́чь.

Изме́рить *кого-л.* ВЗО́РОМ.
см. Изме́рить *кого-л.* ВЗГЛЯ́ДОМ.

Обраща́ть, обрати́ть на себя́ все ВЗО́РЫ.
To attract all eyes, to command attention.
Как то́лько краса́вица Еле́на Петро́вна показа́лась — **обрати́ла на себя́ все взо́ры.**

ВЗЯ́ТКИ гла́дки *с кого-л.*
You can't expect anything from someone.
Я уве́домил кредито́ров Петра́, что с него́ **взя́тки гла́дки.**

Де́лать ВИД.
To make believe, to pretend, dissimulate.
Чино́вники, ненави́дящие друг дру́га, пе́ред нача́льником **де́лали вид,** что они́ хоро́шие друзья́.

Для ВИ́ДА.
For form's sake, for the sake of appearances.
Всё, что они́ де́лали, бы́ло то́лько **для ви́да.**

ВИ́ДЕТЬ (*или* знать) наскво́зь.
To see through.
Ей каза́лось, что он **наскво́зь ви́дит** её и понима́ет всё то нехоро́шее, что в ней де́лается.

Л. Толстой, Анна Каренина.

ВИ́ДИМО-неви́димо.
Multitudes, huge numbers, immense quantity.
Наро́ду на пля́же бы́ло **ви́димо-неви́димо.**

Ни под каки́м ВИ́ДОМ.
On no account, by no means.
К сожале́нию, **ни под каки́м ви́дом** сде́лать вам э́того не могу́.

Име́ть в ВИДУ́.
To bear in mind.
Я **име́ю в виду́** вчера́шний необыкнове́нный слу́чай.

Упусти́ть (*или* вы́пустить) и́з ВИДУ.
To fail to consider, not to take into account/consideration.
Он не **упусти́л и́з виду** ни одно́й дета́ли.

Вида́ть ВИ́ДЫ.
To see/experience a great deal/much/many things.

С ним прия́тно и поле́зно поговори́ть: он быва́л в ра́зных стра́нах и **вида́л ви́ды.**

Нанести́ ВИЗИ́Т.
To make/pay a visit.
На Рождество́ вся семья́ собира́ется **нанести́ визи́т** Па́вловым.

Прийти́ (*или* быть) с ВИЗИ́ТОМ.
To pay a visit.
За́втра **придёт** к нам **с визи́том** мой стари́нный друг.

Вменя́ть, вмени́ть в ВИНУ́.
To accuse, to charge somebody with.
Неуда́чу постро́йки но́вого заво́да **вмени́ли в вину́** председа́телю правле́ния.

ВИШЬ.
Look! Take a look!
Вишь ты, — сказа́л оди́н (мужи́к) друго́му, — вон како́е колесо́!
Гоголь, Мёртвые души.

ВКОСЬ и вкривь (*или* вкривь и вкось).
At random, without discernment, disorderly.
Рассужда́ют, сообража́ют **вкривь и вкось,** а сами́м ску́чно.
Гончаров, Обломов.

Войти́ во ВКУС.
To begin to enjoy, to relish something, to get the taste of.
Италья́нская о́пера **вошла́** ему́ **во вкус,** и с тех пор он ни одно́й не пропуска́ет.

На ВКУС.
To the taste, in accordance with (the taste of), according to (the taste of).
Ли́за, **на вкус** Анны, была́ гора́здо привлека́тельнее.
Л. Толстой, Анна Каренина.

Ваша ВЛАСТЬ.
As you please, please yourself.
— Счастли́вые часо́в не наблюда́ют.
— Не наблюда́йте, **ва́ша власть.**
Грибоедов, Горе от ума.

Теря́ть, потеря́ть ВЛАСТЬ над собо́й.
To lose control over oneself.
Он **потеря́л власть над собо́й** и на́чал руга́ться.

ВЛЕЧЬ за собо́й.
To involve/entail.
Преступле́ние **влечёт за собо́й** тяжёлую ка́ру.

Обраща́ть, обрати́ть на себя́ ВНИМА́НИЕ.
To attract somebody's attention.
Она́ пришла́ на собра́ние то́лько для того́, что́бы **обрати́ть на себя́ внима́ние.**

Седьма́я ВОДА́ на киселе́.
Second cousin twice removed, very distant relative.
— Вчера́ я познако́мился с ва́шей ро́дственницей, Ольгой Петро́вной.
— О, Ольга Петро́вна — мне **седьма́я вода́ на киселе́.**

Как ВО́ДИТСЯ.
As usual, as is customary.
Она́ вы́шла навстре́чу гостя́м и, **как во́дится,** сказа́ла: «Ми́лости про́сим».

Это ВО́ДИТСЯ *за кем-л.*
Such things occur/happen to somebody.
— Он раздражи́лся и на́чал наха́льничать.
— Да, я его́ зна́ю. **Это во́дится** за ним.

ВОДИ́ТЬСЯ *с кем-л.*
To be friends, to be on friendly terms.
Она́ оби́делась и реши́ла бо́льше с мальчи́шками не **води́ться.**

Дава́ть, дать на ВО́ДКУ.
To give a tip, to tip.
Это здесь в обы́чае, **дава́ть** прислу́ге **на во́дку.**

Окати́ть холо́дной ВОДО́Й.
To damp somebody's ardour, to discourage.
Окати́в холо́дной водо́й ю́ношеский задо́р Никола́я, оте́ц доби́лся хоро́шего результа́та.

Выводи́ть, вы́вести на чи́стую ВО́ДУ.
To bring one's misdeeds to light, to unmask.
Они́ **вы́вели** его́ проде́лки **на чи́стую во́ду.**

Мно́го ВОДЫ утекло́ с тех пор.
Much water has flowed under the bridge since.
Поду́майте то́лько: как **мно́го воды́ утекло́ с тех пор,** как мы ви́делись в после́дний раз.

Без ВОЗВРА́ТА.
Irrevocably, never to return.
Я всё разби́л в прах, без сожале́ния и **без возвра́та.**
Тургенев, Дым.

На во́льном ВО́ЗДУХЕ.
In the open air, out of doors.
Сын Еле́ны, туберкулёзный ю́ноша, ча́сто быва́ет **на во́льном во́здухе.**

Выходи́ть, вы́йти из ВО́ЗРАСТА.
To pass the age limit, to be above age, to be too old.
— Вы́звать и демобилизова́ть (до́ктора). Он **из во́зраста вы́шел.**
Каверин, Два капитана.

На ВО́ЗРАСТЕ.
(To be) of age.
Ты, ка́жется, и забы́л, что у тебя́ де́вка **на во́зрасте!**
А. Островский, Семейная картина.

Развяза́ть ВОЙНУ́.
To unleash war.
Несправедли́вая агресси́вная поли́тика **развяза́ла** втору́ю мирову́ю **войну́.**

ВОКРУ́Г да о́коло.
To beat about the bush.
Вчера́шний разгово́р шёл **вокру́г да о́коло** ра́зных вопро́сов, не разреша́я ни одного́ из них.

Рабо́тать как ВОЛ.
To work like an ox, to slave.
Заве́дующий заво́дом Ива́н Алексе́евич **рабо́тает как вол.**

ВО́ЛЕЙ-нево́лей.
Willy-nilly, willing or unwilling.
У меня́ сего́дня ещё мно́го рабо́ты, но я так уста́л, что мне **во́лей-нево́лей** прихо́дится отдохну́ть.

Дожи́ть до седы́х ВОЛО́С.
см. Дожи́ть до СЕДИ́Н.

Быть на ВОЛОСКЕ́ *от.*
To be within a hairbreadth of something.
Он не́сколько раз **был на волоске́** от сме́рти.

Висе́ть (*или* держа́ться) на ВОЛОСКЕ́.
To hang by a thread.
Он был тяжело́ ра́нен в автомоби́льной катастро́фе, и в тече́ние не́скольких ме́сяцев его́ жизнь **висе́ла на волоске́.**

ВО́ЛОСЫ стано́вятся, ста́ли ды́бом.
One's hair stands/stood on end (A hair-raising experience).
«Си́львио!» — закрича́л я, и признаю́сь, я почу́вствовал, как **во́лосы ста́ли** вдруг на мне́ **ды́бом.**
Пушкин, Выстрел.

Дава́ть, дать ВО́ЛЮ рука́м.
To bring one's fists into play.
Ма́льчики поссо́рились, **да́ли во́лю рука́м,** и начала́сь дра́ка.

Ва́ша (*или* твоя́) ВО́ЛЯ.
As you please, as you like.
Не хо́чешь провести́ кани́кулы с на́ми — **твоя́ во́ля,** мы тебя́ не бу́дем принужда́ть.

ВООБРАЖА́ТЬ, вообрази́ть о себе́.
To be conceited, to think no small beer of oneself.
Пётр Ива́нович сли́шком мно́го **о себе́ вообража́ет:** ему́ ка́жется, что он всесторо́нне образо́ван.

ВОПРО́С жи́зни и́ли сме́рти.
A matter of life or death.
Отыска́ть его́ — э́то сде́лалось для меня́ **вопро́сом жи́зни и́ли сме́рти.**
Тургенев, Сон.

Больно́й ВОПРО́С.
Sore subject.
Э́тот **больно́й вопро́с** до́лго обсужда́лся в парла́менте.

Поста́вить ВОПРО́С ребро́м.
To put a question point-blank.
Господи́н Семёнов, почему́ де́лаете ра́зные намёки вме́сто того́, что́бы **поста́вить вопро́с ребро́м?**

Что за ВОПРО́С!
What a question! Of course!
«Вы идёте на собра́ние?» — «Коне́чно, **что за вопро́с!**»

Стре́ляный (*или* ста́рый) ВОРОБЕ́Й.
Sly fox, someone who is experienced.
Он **стре́ляный воробе́й,** ты его́ обеща́ниями не зама́нишь.

ВОТ-вот.
On the point of, just about.
Утро бы́ло ти́хое, тёплое, се́рое. Иногда́ каза́лось, что **вот-вот** пойдёт дождь.
Тургенев, Вешние воды.

ВОТ и́менно!
Exactly!
«Да ра́зве их сын на де́сять лет ста́рше ва́шего?» — «**Вот и́менно!**».

ВОТ как!
Really! Is that so!
— Фёдор жени́лся на францу́женке.
— **Вот как!** А я не знал.

Выноси́ть, вы́нести ВПЕЧАТЛЕ́НИЕ.
To receive/get an impression.
По́сле разгово́ра с Ива́ном профе́ссор **вы́нес** о нём благоприя́тное **впечатле́ние.**

Производи́ть, произвести́ благоприя́тное ВПЕЧАТЛЕ́НИЕ *на.*
To impress somebody favorably.
Э́того молодо́го челове́ка при́няли на слу́жбу, потому́ что он **произвёл** на всех **благоприя́тное впечатле́ние.**

ВПОПА́Д.
Apropos, to the point/purpose.
Ва́ше замеча́ние бы́ло о́чень к ме́сту, **впопа́д.**

ВПОПЫХА́Х.
In a hurry, hastily, hurry-scurry.
По́сле отъе́зда Петра́ его́ жена́ заме́тила, что он **впопыха́х** забы́л до́ма де́ньги.

ВПРА́ВДУ.
Really, really and truly.
Так ты и **впра́вду** е́дешь в Евро́пу?

(Идти́) ВПРОК.
To be of profit/benefit, to do somebody good.
Муж Еле́ны ба́ловень судьбы́: ему́ всё **(идёт) впрок.**

Кро́вный ВРАГ.
Deadly enemy.
По́сле ссо́ры с Семёном Пётр стал его́ **кро́вным враго́м.**

По ВРЕМЕНА́М.
At times, now and again, now and then, from time to time.
По времена́м Ники́та шути́л и смея́лся, но ви́дно бы́ло, что он был бо́лен.

От ВРЕ́МЕНИ до вре́мени.
From time to time.

Тётя Со́ня живёт в Вашингто́не, и **от вре́мени до вре́мени** мы её навеща́ем.
ВРЕ́МЯ лети́т.
Time flies.
Когда́ они́ начина́ли рассужда́ть, забыва́ли всё и не замеча́ли, как **вре́мя лети́т.**
ВРЕ́МЯ не те́рпит.
Time waits for no man.
Идёмте скоре́е, **вре́мя не те́рпит,** на́до торопи́ться.
ВРЕ́МЯ те́рпит.
There is plenty of time.
Вре́мя те́рпит: есть возмо́жность ждать с э́той рабо́той да́же до бу́дущего го́да.
Вы́играть ВРЕ́МЯ.
To gain time.
Вра́жеские войска́ ме́длят с наступле́нием, что́бы **вы́играть вре́мя.**
ВСЁ ж(е).
However, nevertheless.
Несмотря́ на то, что он специали́ст по э́тому де́лу, я **всё же** с ним не согла́сен.
ВСЁ ко́нчено.
All is over! This is the end.
Всё решено́, **всё ко́нчено** ме́жду на́ми.
ВСЁ равно́.
All the same, just the same.
— Вы хоти́те е́хать авто́бусом и́ли по́ездом?
— Мне **всё равно́.**
ВСЁ-таки.
For all that, though all the same, however, and yet, nevertheless.
Говори́те что хоти́те, а я **всё-таки** сде́лаю так, как хочу́.
ВСЕГО́-на́всего.
In all, only, all in all, no more than.
Все пра́здничные пода́рки, кото́рые я закупи́л, сто́или **всего́-на́всего** де́сять рубле́й.
ВСЕГО́-ничего́.
Mere nothing.
— Я в одну́ мину́ту, мне то́лько пти́чку све́шать. В ней и ве́су-то **всего́-ничего́.**
П. Романов, Инструкция.
ВСЕГО́-то.
Only.
А что же сде́лал он тако́го? **Всего́-то** шёл часа́ два.
Скоре́е ВСЕГО́.
Most likely/probably.
Не зна́ю я, был ли он, не был ли он там... **Скоре́е всего́** не был.
ВСЛЕПУЮ.
1. Without seeing, without looking.
2. At random, without plan.
1. Ли́дер ша́хматного турни́ра сыгра́л **вслепу́ю** пять па́ртий.
2. Мой знако́мый всё вре́мя живёт **вслепу́ю.**

Вся́кая ВСЯ́ЧИНА.
All sorts of things/stuff.
Мы ви́дели на вы́ставке **вся́кую вся́чину.**
Жить как на ВУЛКА́НЕ.
To be sitting on a volcano.
Ме́жду пе́рвой и второ́й мирово́й войно́й лю́ди в Евро́пе **жи́ли как на вулка́не,** в постоя́нном ожида́нии вое́нного конфли́кта.
ВЫ́ДАТЬ (*или* отда́ть) за́муж *за.*
To marry off.
Господа́ Че́ховы **вы́дали** свою́ дочь **за́муж** за инжене́ра Бра́уна.
На ВЫ́ДЕРЖКУ.
At random.
Сейча́с прове́рим **на вы́держку...** вот под ци́фрой семь, что у вас?
Первенцев, Испытание.
ВЫ́ЛИТЫЙ, вы́литая.
The living image.
— **Вы́литая** Мару́ся! — сказа́л Ива́н Дми́триевич и го́рько усмехну́лся. — Говоря́т, е́сли сын похо́ж на мать — бу́дет сча́стлив.
К. Тренёв, День рождения.
Не ВЫНОСИ́ТЬ, вы́нести.
One cannot stand/bear.
За его́ самоуве́ренность да́же оте́ц его́ **не выно́сит.**
ВЫПЛА́КИВАТЬ, вы́плакать.
To obtain by weeping, to get something by dint of one's tears.
Он **вы́плакал** э́ти де́ньги у отца́.
Извини́(те) за ВЫРАЖЕ́НИЕ.
If you will excuse the expression.
Ва́ши слова́ — э́то, **извини́те за выраже́ние,** некульту́рность.
Си́льные ВЫРАЖЕ́НИЯ.
см. Си́льные СЛОВА́.
Си́льно ВЫ́РАЗИТЬСЯ.
см. Си́льно СКАЗА́ТЬ.
Быть на ВЫСОТЕ́ положе́ния.
To be in control of the situation.
Говоря́ на друго́й день об исполне́нии, все ви́дные кри́тики сошли́сь на том, что арти́сты... **бы́ли на высоте́ положе́ния.**
Телешов, Записки писателя.
Что же из э́того ВЫТЕКА́ЕТ?
What is the result/outcome of it?
— Я его́ не угова́ривал э́то де́лать.
— **Что же из э́того вытека́ет?**
— Из э́того вытека́ет, что вина́ исключи́тельно на его́ стороне́.
Как-то так ВЫХО́ДИТ, выходи́ло, вы́шло.
Somehow it so happens, happened.
Сиде́ли за столо́м, ми́рно бесе́довали, и **как-то так выходи́ло,** что о Ми́те почти́ не говори́ли.
К. Тренёв, День рождения.

ВЫХОДИ́ТЬ, вы́йти глу́по.
To appear foolish, to turn out stupidly/foolishly.
— Мо́жет быть, — согласи́лся Ми́ша, — я не по́мню. Зна́чит, то, что написа́л, **вы́шло глу́по?**
Е. Чириков, Миша.

ВЫХОДИ́ТЬ, вы́йти (*или* пойти́) за́муж *за.*
To marry somebody.
Ольга Па́вловна **вы́шла за́муж** за инжене́ра.

ВЫХОДИ́ТЬ, вы́йти из себя́ (*или* лезть на́ стену, лезть на сте́нку).
To lose one's temper.
Подня́лся оживлённый спор. Банки́р, бы́вший тогда́ помоло́же и не́рвнее, вдруг **вы́шел из себя́,** уда́рил кулако́м по́ столу и кри́кнул, обраща́ясь к молодо́му юри́сту: — Непра́вда!
Чехов, Пари.

Г

Ходя́чая ГАЗЕ́ТА.
Living/walking newspaper, newsmonger.
Па́вел зна́ет и распространя́ет но́вости и спле́тни. Его́ в го́роде зову́т **«ходя́чая газе́та».**

ГАЙДА́!
см. АЙДА́!

ГАЛИМАТЬЯ́.
Balderdash, jumble of nonsense.
Я сра́зу по́нял, что он ме́лет э́ту **галиматью́,** про́сто что́бы позли́ть Ка́тю.
Каверин, Два капитана.

Заложи́ть за ГА́ЛСТУК.
To have one (drink) too many.
Он вчера́ **заложи́л за га́лстук** и не удиви́тельно, что сего́дня у него́ боли́т голова́ и он не в состоя́нии рабо́тать.

Никаки́х ГВОЗДЕ́Й.
And that's that.
Свети́ть — и **никаки́х гвозде́й!** Вот ло́зунг мой — и со́лнца!
Маяковский, Необычайное приключение...

ГВОЗДЬ сезо́на.
The hit of the season.
Когда́ Михаи́л был в Петербу́рге, **гвоздём сезо́на** была́ пье́са Че́хова «Три сестры́».

Быть (*или* стоя́ть, идти́, находи́ться) во ГЛАВЕ́ *чего-л.*
To be at the head of.
Комисса́р отря́да **был во главе́** разве́дки.

Во ГЛАВЕ́ *с кем-л.*
Headed by, led by.
Пионе́рский отря́д **во главе́** с пионервожа́тым соверши́л экску́рсию по го́роду.

Не каза́ть ГЛАЗ (*или* но́су).
Never show oneself.
Как э́то ты те́рпишь э́того негодя́я? Вы́брось его́, и что́бы он **не каза́л глаз** в твоём до́ме.

Подби́ть ГЛАЗ.
To give a black eye.
В тече́ние игры́ два ма́льчика на́чали ссо́риться и оди́н **подби́л** друго́му **глаз.**

(Темно́,) хоть ГЛАЗ вы́коли.
It is pitch-dark.
В осе́нние но́чи темно́, **хоть глаз вы́коли.**

ГЛАЗА́ с поволо́кой.
Languishing eyes.
Порази́тельны, и́стинно порази́тельны бы́ли её **глаза́,** и́счерна-се́рые с зеленова́тыми отли́вами, **с поволо́кой.**
Тургенев, Дым.

Броса́ться, бро́ситься в ГЛАЗА́.
To be striking, to strike one's eye, to stare one in the face, to arrest attention.
Бро́силось мне **в глаза́,** что Ива́н в пода́вленном настрое́нии.

В ГЛАЗА́ не вида́ть.
Never to see hide nor hair.
Хотя́ мы с Петро́м жи́ли в одно́м го́роде, я его́ **в глаза́ не вида́л.**

Вы́плакать все ГЛАЗА́.
To cry one's eyes out.
Зинаи́да, получи́в плохи́е ве́сти и́з дому, но́чью **все глаза́ вы́плакала.**

ЗА ГЛАЗА́.
Behind somebody's back.
Руга́ть **за глаза́** — э́то ме́тод тру́сов.

Закрыва́ть, закры́ть ГЛАЗА́ *на.*
To overlook, to shut one's eyes to.
Дире́ктор ба́нка, в кото́ром Степа́н слу́жит, **закрыва́ет глаза́** на его́ упуще́ния по слу́жбе.

Идти́, пойти́ куда́ ГЛАЗА́ глядя́т.
To follow one's nose.
Прие́хавши в чужо́й го́род, не зна́я его́, он **пошёл куда́ глаза́ глядя́т.**

Мозо́лить, намозо́лить ГЛАЗА́ *кому-л.*
To be an eyesore to somebody.
Когда́ ни придёшь к Петру́ — заста́нешь там его́ неразлу́чного дру́га Никола́я. Ка́жется, что он уже́ **намозо́лил глаза́** Петру́.

Открыва́ть, откры́ть *кому-л.* ГЛАЗА́ *на.*
To open somebody's eyes to.
Па́влов **откры́л** мне **глаза́** на вас: всю

э́ту клевету́ не он вы́думал, а вы — из ре́вности!

Скиталец, Этапы.

Потупля́ть, потупи́ть ГЛАЗА́.

To cast down one's eyes, to drop one's eyes.

Он останови́лся и стал набива́ть вы́горевшую свою́ тру́бку; я молча́л, **поту́пя глаза́.**

Пушкин, Выстрел.

Гляди́ ГЛАЗА́МИ.

Use your eyes!

— Свора́чивай, дья́вол! — раздаётся в потёмках. — Повыла́зило, что ли, ста́рый пёс? **Гляди́ глаза́ми!**

Чехов, Тоска.

Изме́рить *кого-л.* ГЛАЗА́МИ.

см. Изме́рить *кого-л.* ВЗГЛЯ́ДОМ.

Иска́ть ГЛАЗА́МИ.

To try to catch sight of somebody.

Но в толпе́ не ви́дит он Еле́ны, как ни **и́щет** он её **глаза́ми.**

Пушкин, Федор и Елена.

Провожа́ть, проводи́ть ГЛАЗА́МИ.

To follow somebody/something with one's eyes.

Наста́сья стоя́ла у воро́т и до́лго **провожа́ла глаза́ми** своего́ му́жа.

В ГЛАЗА́Х *кого-л.*

In somebody's eyes, in somebody's opinion.

Хала́т име́л **в глаза́х** Обло́мова тьму неоценённых досто́инств.

Гончаров, Обломов.

В ГЛАЗА́Х зелене́ет.

It's growing dim before one's eyes, to feel faint.

По времена́м меня́ клони́л сон, **в глаза́х зелене́ло,** голова́ шла кру́гом.

Достоевский, Бедные люди.

Вы́расти на ГЛАЗА́Х.

To see somebody grow up, to be a witness of somebody's growth, one shot up before somebody's eyes.

Ва́ня **вы́рос** у меня́ **на глаза́х.**

ГЛА́ЗОМ не моргну́ть.

Without batting an eyelid.

На сде́ланное ему́ предложе́ние приня́ть до́лжность в друго́м го́роде он, **гла́зом не моргну́в,** согласи́лся.

С ГЛА́ЗУ на гла́з.

Tête-à-tête, confidentially.

Алекса́ндр сказа́л ему́, что хо́чет с ним поговори́ть **с гла́зу на гла́з.**

Лужёная ГЛО́ТКА.

A throat of cast iron.

У на́шего сосе́да **лужёная гло́тка,** тру́дно жить с ним под одно́й кры́шей.

В ГЛУБИНЕ́ души́.

At heart, in one's heart of hearts.

Как тяжело́ пережива́ть **в глубине́ души́** свои неуда́чи и скрыва́ть их от посторо́ннего взгля́да.

До ГЛУБИНЫ́ души́.

To the bottom of one's heart.

Я потрясён **до глубины́ души́** ве́стью о несча́стьи Ники́тиных.

ГЛЯДЕ́ТЬ (*или* смотре́ть) в о́ба.

To be on the *qui vive*, to be on the alert, to keep one's eyes open, to be on one's guard.

Твои́м но́вым знако́мым ве́рить опа́сно, я сове́тую тебе́ **гляде́ть в о́ба.**

Того́ и ГЛЯДИ́.

I'm afraid, it looks as though, at any moment.

Ма́ша, оде́нь но́вое пла́тье, **того́ и гляди́** го́сти войду́т.

Быть вне себя́ от ГНЕ́ВА.

To be beside oneself, to jump out of one's skin.

Он **был вне себя́ от гне́ва,** узна́вши, что его́ друг же́нится на его́ возлю́бленной.

Оси́ное ГНЕЗДО́.

Hornets' nest.

Семья́ Фёдоровых — э́то **оси́ное гнездо́** вражде́бно настро́енных люде́й.

Свить себе́ ГНЕЗДО́.

To build a nest.

Он жени́лся, купи́л ма́ленький до́мик и **свил себе́** тут **гнездо́.**

Само́ за себя́ ГОВОРИ́Т.

It speaks for itself.

То, что он был пьян, **само́ за себя́ говори́т.**

Как ГОВОРИ́ТСЯ.

As the saying goes.

Я, к сожале́нию, не встре́тился с ним в Нью-Йо́рке, но, мо́жет быть, **как говори́тся,** нет ху́да без добра́.

ГОВОРИ́ТЬ ду́рно *о ком-л.*

To speak ill/badly of somebody.

Э́ти два закады́чных дру́га поссо́рились, и с тех пор на́чали **ду́рно говори́ть** друг о дру́ге.

ГОВОРИ́ТЬ из пя́того в деся́тое (*или* с пя́того на деся́тое).

см. РАССКА́ЗЫВАТЬ из пя́того в деся́тое.

Не́чего и ГОВОРИ́ТЬ.

It goes without saying.

При э́том он выража́л благода́рность чу́ткому же́нскому се́рдцу, оцени́вшему его́. **Не́чего и говори́ть,** что э́то чу́ткое се́рдце принадлежа́ло мне.

Куприн, Чары.

Что и ГОВОРИ́ТЬ.
It is true; it cannot be denied.
Она́ явля́ется причи́ной всех недоразуме́ний, **что и говори́ть!**

Ходи́ть (*или* пройти́сь) ГО́ГОЛЕМ.
To strut.
(Чартко́в) **прошёлся** по тротуа́ру **го́голем,** наводя́ на всех лорне́т.
Гоголь, Портрет.

Встреча́ть, встре́тить Но́вый ГОД.
To meet the New Year, to celebrate New Year's Eve.
Мы обы́чно **встреча́ем Но́вый Год** в семе́йном кругу́.

Кру́глый ГОД.
The whole year round, all the year round.
Она́ была́ **кру́глый год** сестро́й милосе́рдия в полево́м го́спитале.

Под Но́вый ГОД.
On New Year's Eve, on the eve of New Year's Day.
— Вот, — сказа́ла она́, — письмо́ от Ми́ти... после́днее. **Под Но́вый Год** получи́ла.
К. Тренёв, День рождения.

Из ГО́ДА в год.
Year in, year out; year after year.
Из го́да в год он изуча́л ру́сский язы́к.

Не по ГОДА́М.
Beyond one's years.
(Лука́шин) был **не по года́м** соли́ден; люби́л чита́ть наставле́ния молоды́м бойца́м, и они́ в шу́тку называ́ли его́ «па́паша».
Панова, Кружилиха.

Не ГОДИ́ТСЯ.
It won't do; it's no good.
Стой, ребя́та, **не годи́тся,**
Что́бы э́так с посошко́м
Шла домо́й из-за грани́цы
Мать солда́тская пешко́м.
Твардовский, Василий Тёркин.

Никуда́ не ГО́ДНЫЙ.
Good for nothing, useless.
Он был хоро́шим и исполни́тельным чино́вником, но хозя́ином оказа́лся **никуда́ не го́дным.**
Вересаев, В юные годы.

ГОЛОВА́ идёт, шла кру́гом.
One's head is/was in a whirl; one's head is/was spinning.
Её **голова́ шла кру́гом** от неожи́данной ве́сти, что её сын поги́б в бою́.

ГОЛОВА́ трещи́т.
One has a splitting headache.
У него́ **голова́ трещи́т** от вчера́шней попо́йки.

Дыря́вая ГОЛОВА́.
см. Дыря́вая ПА́МЯТЬ.

Кру́жится ГОЛОВА́.
One gets giddy.
По́сле пе́рвой рю́мки **кру́жится голова́,** по́сле второ́й забыва́ешь со́бственное и́мя, а тре́тья рю́мка ва́лит с ног.
П. Яльцев, Мафусаил.

Сам себе́ ГОЛОВА́.
One's own master.
Серге́ю предлага́ли ра́зные слу́жбы, но он всегда́ отка́зывался, жела́я быть **сам себе́ голово́й.**

Све́тлая ГОЛОВА́.
см. Све́тлый УМ.

Кача́ть ГОЛОВО́Й.
To shake one's head.
На ка́ждый мой отве́т профе́ссор **кача́л голово́й** и говори́л «нет».

Зада́ть ГОЛОВОМО́ЙКУ.
To reprimand/rebuke/berate, to give somebody a dressing down.
Оте́ц **за́дал** сы́ну здоро́вую **головомо́йку.**

Бе́гать, бежа́ть сломя́ ГО́ЛОВУ.
To run at a breakneck pace.
Я ви́дел на у́лице во́ра, кото́рый **бежа́л сломя́ го́лову,** а за ним бежа́ла толпа́ с кри́ком «держи́ во́ра!»

Вбива́ть, вбить в ГО́ЛОВУ.
To hammer into somebody's head.
Я **вбива́л** ему́ **в го́лову,** что в э́том слу́чае необходи́мо де́йствовать вме́сте.

Взбрести́ в ГО́ЛОВУ.
To come into one's head.
Вме́сто того́, что́бы говори́ть толко́во, он болта́л всё, что **взбрело́ в го́лову.**

В пе́рвую ГО́ЛОВУ.
First and foremost.
В пе́рвую го́лову пехо́тная коло́нна пусти́ла ма́ленький отря́д.

Име́ть ГО́ЛОВУ на плеча́х.
To be able to think for oneself, to be a smart/clever fellow.
Вам, Мари́я Ива́новна, не ну́жно беспоко́иться о ва́шем сы́не: он **име́ет го́лову на плеча́х** и поведёт свои́ дела́ уда́чно.

Клони́ть ГО́ЛОВУ.
см. Клони́ть ШЕ́Ю.

Лома́ть себе́ ГО́ЛОВУ.
To puzzle over something, to rack/cudgel one's brains over something.
На экза́мене Ми́ша до́лго **лома́л себе́ го́лову** над тру́дным вопро́сом, но наконе́ц дал пра́вильный отве́т.

Моро́чить ГО́ЛОВУ.
To fool somebody.
Он вам **моро́чил го́лову,** а вы так легко́ пове́рили.

Намы́лить ГО́ЛОВУ.
см. Намы́лить ШЕ́Ю.

Приходи́ть, прийти́ в ГО́ЛОВУ.
To occur to somebody, to come into somebody's mind.
Впро́чем, нам **в го́лову** не **приходи́ло** подозрева́ть в нём что́-нибудь похо́жее на ро́бость.
Пушкин, Выстрел.

Теря́ть, потеря́ть ГО́ЛОВУ.
To lose one's head, to lose presence of mind.
Она́ была́ его́ пе́рвой любо́вью. Оте́ц ему́ сказа́л: «Люби́, да не **теря́й головы́**».

Бу́йная ГОЛО́ВУШКА.
A madcap.
А како́й я был сорване́ц, **бу́йная голо́вушка,** вы и предста́вить себе́ не мо́жете.
Чехов, То была она.

Вали́ть, свали́ть с больно́й ГОЛОВЫ́ на здоро́вую.
To lay the blame on somebody else, to put something on somebody else, to lay one's own fault at someone else's door.
Ми́ша опозда́л на рабо́ту и, по своему́ обы́чаю, **свали́л с больно́й головы́ на здоро́вую,** обвиня́я жену́ за то, что его́ не разбуди́ла.

Выки́дывать, вы́кинуть из ГОЛОВЫ́.
To put out of one's head, to dismiss, to get rid.
Он **вы́кинул из головы́** свои́ опасе́ния и сно́ва стал жизнера́достным.

Из ГОЛОВЫ́ вон.
It quite escaped me; I had clean forgotten it.
Извини́те, у меня́ ва́ша про́сьба **из головы́ вон** — и я не сказа́л управля́ющему о том, что вы больны́.

С ГОЛОВЫ́ до ног.
From head to foot, from top to toe.
По доро́ге прошли́ солда́ты, вооружё́нные **с головы́ до ног.**

По́лным ГО́ЛОСОМ.
Outright, for all to hear.
Не стесня́йтесь, Никола́й Никола́евич, скажи́те э́то **по́лным го́лосом.** Мы все хоти́м узна́ть об э́том.

ГОЛУБУШКА.
Darling.
— Вот что, **голу́бушка,** — сказа́л я, — вы всю э́ту посу́ду отста́вьте в сто́рону.
Вересаев, Без дороги.

ГОЛУБЧИК.
1. My dear fellow.
2. My darling.
1. — Дя́дя! **голу́бчик!** позво́льте мне тепе́рь уе́хать!
Салтыков-Щедрин, Господа Головлевы.
2. — Мама́ша, вы да́же бле́дны, успоко́йтесь, **голу́бчик** мой, — сказа́ла Ду́ня, ласка́ясь к ней.
Достоевский, Преступление и наказание.

ГО́НКА (*или* спе́шка).
Haste/hurry.
Вы уж прости́те, что я заста́вила вас ждать. У нас всегда́ по утра́м **го́нка.**
Крымов, Инженер.

Сбить ГО́НОР.
см. Сбить СПЕСЬ.

ГОРА́ с плеч свали́лась.
A load has been taken off one's mind.
Когда́ я узна́л, что Фе́дя вы́держал все экза́мены на аттеста́т зре́лости, у меня́ сло́вно **гора́ с плеч свали́лась.**

Кто во что ГОРА́ЗД.
Each does what he can.
— Чем занима́ются ва́ши сыновья́?
— **Кто во что гора́зд.**

Не за ГОРА́МИ.
Not far distant, at hand.
День ва́шей сва́дьбы **не за гора́ми.**

ГО́РЕ от ума́.
Woe from wit.
«Го́ре от ума́» — э́то то́нкая, изя́щная и стра́стная коме́дия, напи́санная Гибое́довым.

Мы́кать ГО́РЕ.
To live in misery, to lead a wretched life.
(Фе́ня) по́сле сме́рти ма́тери оста́лась безнадзо́рной; **мы́кала го́ре** с пья́ницей отцо́м, голода́ла, мёрзла.
Гладков, Энергия.

Топи́ть, утопи́ть ГО́РЕ в вине́ (*или* залива́ть го́ре (*или* тоску́) вино́м).
To drown one's sorrows in drink.
По́сле того́, как он обанкро́тился, нача́л пить ка́ждый день, что́бы **утопи́ть** своё **го́ре в вине́.**

Быть сы́тым по ГО́РЛО.
To be filled up, to have one's fill.
— Ку́шайте, пожа́луйста, пиро́г.
— Спаси́бо, я **сыт по го́рло.**

Во всё ГО́РЛО.
At the top of one's lungs/voice.
Па́вел кричи́т **во всё го́рло** над са́мым у́хом собесе́дника.

По ГО́РЛО.
More than enough, enough and to spare.
У учени́ков рабо́ты **по го́рло,** они гото́вятся к перехо́дным экза́менам.

И ГО́РЮШКА ма́ло (*или* и го́ря ма́ло).
Nothing touches somebody.
— Как же э́то ты ко мне вчера́ не зашла́? Не́когда бы́ло? Ну, присла́ла бы

узна́ть, не бо́лен ли я, что меня́ не́ту?
А тебе́ **и го́рюшка ма́ло.**
Тургенев, Петушков.

И ГО́РЯ ма́ло.
см. И ГО́РЮШКА ма́ло.

Хлебну́ть ГО́РЯ.
To taste sorrow.
Он **хлебну́л го́ря** во вре́мя войны́.

Поро́ть ГОРЯ́ЧКУ.
Hurry-scurry, to do something hurry-scurry.
Не́чего **поро́ть горя́чку,** ещё мно́го вре́мени до ва́шего отъе́зда.

Я сам себе́ ГОСПОДИ́Н.
см. Я сам себе́ ХОЗЯ́ИН.

Приведёт ГОСПО́ДЬ.
см. Приведёт БОГ.

На всём ГОТО́ВОМ.
To be provided with room and board, board and lodging found.
Со́фья уже́ ни о чём не забо́тится: она́ получи́ла ме́сто гуверна́нтки **на всём го-то́вом,** включа́я оде́жду.

Нет ни ГРА́НА (и́стины).
Not a grain (of truth).
Со́фья превозно́сит до небе́с своего́ жениха́, но в её похвала́х **нет ни гра́на (и́стины).**

Не́чего ГРЕХА́ тайть.
It must be confessed.
Расста́ться с ним бы́ло ей нелегко́, **не́чего греха́ тайть,** но друго́го вы́хода не́ было.

С ГРЕХО́М попола́м.
With difficulty, somehow, indifferently, so-so!
По прие́зде во Фра́нцию он **с грехо́м попола́м** объясня́лся по-францу́зски.

Ко́рчить ГРИМА́СЫ (*или* ро́жи).
To pull/make faces.
Вчера́ на балу́ она́ **ко́рчила грима́сы,** кла́няясь нале́во и напра́во.

Вгоня́ть, вогна́ть в ГРОБ.
To send somebody to the grave, to be the death of somebody.
Капри́зы молодо́й жены́, кото́рых Ива́н не мо́жет испо́лнить, **вго́нят его́ в гроб.**

Как ГРОМ среди́ я́сного не́ба.
Like a bolt from the blue.
Как гром среди́ я́сного не́ба была́ для них весть о внеза́пной сме́рти их до́чери.

Как ГРО́МОМ оглуши́ть.
To be surprised, to be astonished, to be thunderstruck.
Непредви́денная весть о разво́де мое́й сестры́ **как гро́мом оглуши́ла** меня́.

Ло́маного ГРОША́ не сто́ит.
It is not worth a brass farthing (or a penny).
Я никогда́ не купи́ла бы э́то пальто́: оно́ ж и **ло́маного гроша́ не сто́ит.**

Ни ГРОША́ нет.
To be broke, not a stiver (shilling).
Он проигра́лся до тла, и тепе́рь у него́ **ни гроша́ нет.**

Меси́ть ГРЯЗЬ.
To wade through mud, to walk in the mud.
Почему́ ты оста́вил автомоби́ль и **ме́сишь грязь** пешко́м?

Облива́ть, обли́ть ГРЯ́ЗЬЮ (*или* помо́ями).
To throw mud at somebody.
Сосе́ди Степа́на без вся́кого основа́ния **о́блили гря́зью** его́ че́стное и́мя.

Смеша́ть с ГРЯ́ЗЬЮ.
To besmirch, to soil somebody's name.
Гео́ргия вы́гнали со слу́жбы, потому́ что его́ нече́стный това́рищ **смеша́л** его́ **с гря́зью.**

Наду́ть ГУ́БЫ.
To pout.
Он **наду́л гу́бы** — вероя́тно его́ оби́дели ва́ши слова́.

Ни ГУ-ГУ.
Not a word; mum's the word; don't let it go any further; to keep it dark.
Вся семья́ говори́т о вчера́шнем происше́ствии, а он сиди́т и **ни гу-гу.**

Д

ДАВА́ТЬ, дать поня́ть.
To cue somebody, to hint at.
Киноактри́са подняла́сь, **дава́я поня́ть** нам, мужчи́нам, что́бы мы вы́шли.
В. Ильенков, Мать.

ДАВНЫМ-давно́.
Very long ago, long, long ago.
Он купи́л э́тот дом **давны́м-давно́.**

ДА́ЖЕ и.
Even.
(Нил:) Жить — **да́же и** не бу́дучи влюблённым — сла́вное заня́тие.
Горький, Мещане.

ДАЛЕКО́ не.
Far from being, a long way from.
Поговори́ с ним, и ты убеди́шься, что он **далеко́ не** глуп.

ДАР сло́ва (*или* ре́чи).
Gift of eloquence, gift of speech.
Цицеро́н отлича́лся необыкнове́нным **да́ром сло́ва.**

Ни ДАТЬ, ни взять.
Exactly the same, like two peas in a pod.
Зна́ете, Мари́я Петро́вна **ни дать, ни взять** её мать.

ДВА-три, две-три и т. п.
Several, a few.
Мы ви́делись с ним **два-три** ра́за.

Как два́жды ДВА (четы́ре).
As plain as a pike staff, as plain as the nose on your face.
Вы поступи́ли несправедли́во. Это я́сно, **как два́жды два (четы́ре).**

Ни ДВА ни полтора́.
Neither fish nor fowl, neither one nor the other.
— Кто он: демокра́т и́ли республика́нец?
— Он **ни два ни полтора́.**

ДВЕРЬ в дверь.
Next door.
Мы жи́ли с Петро́выми **дверь в дверь** це́лых пять лет.

Показа́ть на ДВЕРЬ *кому-л.*
To show somebody the door.
Он меня́ оскорби́л, и я вы́нужден был **показа́ть** ему́ **на дверь.**

На ДВОРЕ́.
Out of doors, outside.
Оде́нь шу́бу, моро́з **на дворе́.**

ДЕВА́ТЬ, деть не́куда.
Not to know what to do with the abundance of something.
Ему́ **не́куда деть** свои́ кни́ги.

Ёлочный ДЕД (*или* рожде́ственский дед, дед-моро́з).
Santa Claus.
Бери́дзе, с пуши́стыми от и́нея уса́ми и бородо́й, с мешко́м за спино́й, походи́л на **ёлочного де́да.**
Ажаев, Далеко от Москвы.

ДЕ́ЙСТВОВАТЬ напроло́м.
см. ИДТИ́ напроло́м.

Не у ДЕЛ.
Out of office, out of employment, at loose ends.
Се́льский учи́тель **не у дел,** Кири́лл Яросла́вцев, . . .
Горький, Ошибка.

По ДЕЛА́М слу́жбы.
On business.
— **По дела́м слу́жбы** я принима́ю не здесь, а в канцеля́рии, — сказа́л су́хо дире́ктор.
Чехов, Дамы.

Не́чего ДЕ́ЛАТЬ.
There is nothing to be done; it can't be helped.
Я с ва́ми согла́сен, что **не́чего де́лать** и на́до приня́ть его́ усло́вия.

От не́чего ДЕ́ЛАТЬ.
To while away the time, for lack of something better to do.
От не́чего де́лать он пошёл в кино́.

То́лько и ДЕ́ЛАЮ, де́лаешь и т. д., что . . .
Do nothing but.
Он **то́лько и де́лает, что** рису́ет.

И в са́мом ДЕ́ЛЕ.
That's right.
— Вот Бог даст, придёт пра́здник, тогда́ и напи́шешь . . .
— **И в са́мом де́ле,** в пра́здник лу́чше напишу́, — сказа́л Илья́ Ива́нович.
Гончаров, Обломов.

На ДЕ́ЛЕ.
Actually, in reality.
На де́ле оказа́лось, что он о́чень спосо́бный челове́к.

На са́мом ДЕ́ЛЕ.
Indeed, really.
(Наде́жда Алексе́евна) каза́лась гора́здо моло́же, чем была́ **на са́мом де́ле.**
Тургенев, Затишье.

ДЕ́ЛО гори́т в рука́х.
см. РАБО́ТА гори́т в рука́х.

ДЕ́ЛО дошло́ до того́.
It reached such a point.
Э́тот ма́льчик на́чал сканда́лить в кино́. **Де́ло дошло́ до того́,** что ему́ приказа́ли вы́йти.

ДЕ́ЛО каса́ется.
It pertains.
На вчера́шнем заседа́нии владе́льцев **де́ло каса́лось** беспоря́дков на заво́де.

ДЕ́ЛО не вя́жется.
Things are not going well; the business is not making headway.
Несмотря́ на то, что Пётр прилага́ет все уси́лия, **де́ло не вя́жется.**

Ви́данное ли э́то ДЕ́ЛО?
Have you ever heard of such a thing? Can you beat that?
— А э́то на что похо́же, что вчера́ то́лько во́семь фу́нтов пшена́ отпусти́ла, опя́ть спра́шивают! . . . а я пшена́ не отпущу́ . . . Ну, **ви́данное ли э́то де́ло** — во́семь фу́нтов?
Л. Толстой, Детство

Вме́шиваться, вмеша́ться не в своё ДЕ́ЛО.
To interfere in other people's affairs.
Эта же́нщина **вме́шивается не в своё де́ло** и причиня́ет други́м беспоко́йство.

В чём ДЕ́ЛО?
What's the matter? What's the trouble?
— **В чём де́ло?** — спроси́л Лев Петро́вич, уви́дев свою́ пла́чущую до́чку.

Како́е вам, им и т. д. ДЕ́ЛО?
What business is it of yours, theirs, etc., none of your business!
«Что вы и́щите?» — «Мя́чик. А кто там спра́шивает? **Како́е вам де́ло?** Как вы сме́ете . . .»
Е. Чириков, Соседка.

Мину́тное ДЕ́ЛО.
Matter of a moment.
Сти́рка белья́ в пра́чечной — **мину́тное де́ло.**

Моё, твоё и т. д. ДЕ́ЛО сторона́.
It doesn't concern me, you, etc.
Я не хочу́ вме́шиваться в э́тот спор. **Моё де́ло сторона́.**

Не вме́шивайтесь не в своё ДЕ́ЛО.
Mind your own business.
— Ну, сле́довал ли он ва́шему сове́ту?
— Нет, сказа́л: «**Не вме́шивайтесь не в своё де́ло**».

Не твоё, ва́ше и т. д. ДЕ́ЛО.
It's none of my, your, etc., business.
— Са́ша, что с тобо́й? Ты влюблён?
— Это **не твоё де́ло.**

Положи́ть ДЕ́ЛО под сукно́.
To delay, to postpone, to put off a thing.
Бе́дная стару́шка до сих пор не получи́ла отве́та на своё проше́ние. Наве́рно, слу́жащий **положи́л де́ло под сукно́.**

Приня́ться за ДЕ́ЛО.
To start working, to get down to business.
Ну, сын, дово́льно смотре́ть програ́ммы по телеви́зору! На́до **приня́ться за де́ло:** иди́ и занима́йся!

То и ДЕ́ЛО.
Constantly, insistently.
Прика́зчика **то и де́ло** тре́бовали в дом.
Чехов, Лошадиная фамилия.

То ли ДЕ́ЛО.
How much better, what a difference.
То ли де́ло рю́мка ро́ма, Но́чью сон, по́утру чай;
То ли де́ло, бра́тцы, до́ма!
Пушкин, Дорожные жалобы.

Это друго́е ДЕ́ЛО.
That is another matter, that is quite different, that's a horse of a different color.
А, тепе́рь понима́ю . . . **э́то друго́е де́ло.**

Гре́шным ДЕ́ЛОМ (вводн. сл.).
I am sorry to say, much as I regret it.
— Мы, **гре́шным де́лом,** мо́жем и побрани́ться, и поссо́риться, — но с большо́го пути́ нас не собьёшь.
Караваева, Огни.

У него́ ДЕ́НЕГ ку́ры не клюю́т.
He is rolling in money.
Ещё неда́вно он облада́л о́чень ску́дным доста́тком; ве́рится с трудо́м, что **у него́** тепе́рь **де́нег ку́ры не клюю́т.**

ДЕНЬ-деньско́й.
All day long, the livelong day.
День-деньско́й он писа́л пи́сьма свои́м ро́дственникам.

За́втрашний ДЕНЬ.
The future.
Великоле́пно, когда́ име́ешь возмо́жность бесстра́шно смотре́ть в свой **за́втрашний день** и в **за́втрашний день** твое́й страны́.
Панова, Кружилиха.

На чёрный ДЕНЬ.
For a rainy day.
Предусмотри́тельные лю́ди откла́дывают де́ньги **на чёрный день.**

Ну и ДЕНЬ!
1. **What a (bad) day!**
2. **What a (wonderful) day!**
1. **Ну и день!** С са́мого утра́ идёт дождь!
2. **Ну и день!** Со́лнце, пти́чки пою́т . . . Пойдёмте гуля́ть!

Ясно как Бо́жий ДЕНЬ.
It is clear as day; it is as plain as the nose on your face.
Вам не ну́жно его́ уверя́ть, ведь э́то **ясно как Бо́жий день.**

Не при ДЕНЬГА́Х.
Hard up, out of cash, to be broke.
Я сего́дня **не при деньга́х,** не могу́ идти́ в теа́тр.

При ДЕНЬГА́Х.
To have funds, to be in the money.
Ста́рший брат Ива́на всегда́ **при деньга́х.**

ДЕ́НЬГИ не перево́дятся.
One always has money; one never runs short of money; one has no end of money.
Вообрази́те себе́ мо́лодость, ум, красоту́, весёлость са́мую бе́шеную, хра́брость са́мую беспе́чную, гро́мкое и́мя, **де́ньги,** кото́рым не знал он счёта и кото́рые никогда́ у него́ **не переводи́лись,** . . .
Пушкин, Выстрел.

Бе́шеные ДЕ́НЬГИ.
Fantastic sum, a fortune.
У кого́ ж таки́е **бе́шеные де́ньги,** чтоб за э́тот кни́жный шкаф рубле́й две́сти заплати́ть.

Броса́ть (*или* кида́ть, швыря́ть и т. п.), бро́сить (*или* ки́нуть, швырну́ть и т. п.). ДЕ́НЬГИ на ве́тер.

To squander money.
Их сын — расточи́тель: **броса́ет де́ньги на ве́тер.**

Кро́вные ДЕ́НЬГИ (*или* кро́вный рубль).
Hard-earned money.
Я про́сто не понима́ю э́того челове́ка: за́нял у меня́ **кро́вный рубль** и не хо́чет отда́ть!

Ни за каки́е ДЕ́НЬГИ.
Not for anything, not for any amount.
Я не прода́м э́той кни́ги **ни за каки́е де́ньги.**

ДЕРЖА́ТЬ себя́.
To behave, to conduct oneself.
(Попо́ва:) Вы не уме́ете **держа́ть себя́** в же́нском о́бществе.
Чехов. Медведь

(То́лько) ДЕРЖИ́СЬ!
Steady! Stand firm!
Я зна́ю, что твой хозя́ин опя́ть бу́дет руга́ть тебя́, но ты не уступа́й, **держи́сь!**

Не ро́бкого ДЕСЯ́ТКА.
Somebody is no coward.
Семён **не ро́бкого деся́тка.** Он то́лько с ви́ду не сме́лый.

Впасть в ДЕ́ТСТВО.
To be in one's second childhood, to be in one's dotage, to become a dotard.
Оте́ц Со́фьи **впал в де́тство.** Уви́дев его́, я поду́мал: ста́рость не ра́дость.

ДЁШЕВО и серди́то.
Cheap but good, a good bargain.
Мы нашли́ кварти́ру удо́бную, ую́тную и в хоро́шем райо́не. Вы́шло **дёшево и серди́то.**

На ДИ́ВО.
Marvellously, splendidly.
(Ника́ндр) забежа́л в свою́ камо́рку, что́бы взять пла́тье и **на ди́во** вы́чищенные сапоги́ адмира́ла.
Станюкович, Грозный адмирал.

Что за ДИ́ВО!
How strange! What a miracle! Unbelievable!
Что за ди́во! Цветы́ не замёрзли в тако́й моро́з.

ДИ́ВУ дава́ться.
To wonder, to marvel.
Осма́тривая америка́нские небоскрёбы, они́ не перестава́ли **ди́ву дава́ться.**

В ДИКО́ВИНКУ.
An unusual/strange/thing.
Мо́жет быть, мой посту́пок показа́лся вам **в дико́винку.**

Не в ДИКО́ВИН(К)У.
It is nothing wonderful/surprising.
(Поса́дский:) Ха́живали на медве́дя, **не в дико́вину** нам.
А. К. Толстой, Царь Борис.

Под ДИКТО́ВКУ.
At somebody's bidding, by somebody's order.
Ты позволя́ешь себе́ **под дикто́вку** Пе́льцера наноси́ть мне тя́жкие оскорбле́ния.
Чехов, Ненужная победа.

Поро́ть ДИ́ЧЬ.
см. Поро́ть ЧЕПУХУ́.

ДНЕВА́ТЬ и ночева́ть.
To spend all of one's time somewhere, to be there day and night.
Бе́женец **днева́л и ночева́л** у нас.

ДНЁМ с огнём не найдёшь.
It's like looking for a needle in a haystack; there is no trace of somebody anywhere.
Тако́го у́много и энерги́чного челове́ка, как он, **днём с огнём не найдёшь.**

Золото́е ДНО.
Gold mine.
(Литви́нов) понима́л, что в о́пытных и зна́ющих рука́х оно́ (име́ние) преврати́лось бы в **золото́е дно.**
Тургенев, Дым.

Иска́ть вчера́шнего ДНЯ.
To run/go on a wild-goose chase.
Вчера́шнего дня и́щет, а он ушёл.

Невзви́деть ДНЯ.
см. Невзви́деть СВЕ́ТА.

Со ДНЯ на́ день.
From day to day.
Он откла́дывал свою́ пое́здку в Евро́пу **со дня на́ день.**

Средь бе́ла ДНЯ.
In broad daylight.
Вчера́, **средь бе́ла дня,** напа́ли на по́езд и огра́били пассажи́ров.

Расти́ не по ДНЯМ, а по часа́м.
To grow before one's eyes, to grow like a weed.
Сын Семёновых **растёт не по дням, а по часа́м,** и я опаса́юсь, что он бу́дет вы́ше, чем ну́жно.

ДОБРО́М.
Of one's own free will.
— Не хо́чешь **добро́м** по́длинной пра́вды сказа́ть — други́е сре́дства найдём.
Мельников-Печерский, Старые годы.

Помина́ть, помяну́ть ДОБРО́М (*или* до́брым, хоро́шим сло́вом).
To speak well of somebody while recalling him, to think kindly of somebody.
Моя́ тётя была́ така́я хоро́шая и ла́сковая же́нщина! Я всегда́ бу́ду **помина́ть** её **добро́м.**

Не к ДОБРУ́.
It is a bad omen/sign.
Говоря́т, что е́сли чёрная ко́шка перебежи́т прохо́жему доро́гу, то э́то **не к добру́.**

Вкра́дываться, вкра́сться в ДОВЕ́РИЕ.
To worm/ingratiate oneself into somebody's confidence.
Он со свое́й прия́тной нару́жностью и то́нкой ле́стью **вкра́лся в дове́рие** своему́ нача́льству.

Облечь ДОВЕ́РИЕМ.
To entrust somebody (with confidence), to take someone into one's confidence.
К сожале́нию, он **облёк дове́рием** обма́нщика.

ДОЖДЬ льёт как из ведра́.
It is pouring rain; it is raining cats and dogs; it is coming down in torrents.
Гроза́ разгуля́лась, **дождь льёт как из ведра́.**

Отда́ть после́дний ДОЛГ.
To pay the last respect.
Сего́дня в гимна́зии не́ было заня́тий, все ученики́ пошли́ **отда́ть после́дний долг** уме́ршему учи́телю.

Влеза́ть, влезть в ДОЛГИ́.
To get into debt.
Они́ жи́ли на ба́рскую но́гу и, — **влёзли в долги́.**

На мою́, твою́ и т. д. ДО́ЛЮ вы́пало (*или* доста́лось и т. п.).
It fell to my, your, etc., lot; it was reserved for me, you, etc.
На мою́ до́лю вы́пало быть свиде́телем его́ страда́ний и сме́рти.

Го́рькая ДО́ЛЯ.
Tough luck, hard/cruel lot.
И до́лго, до́лго де́душка о **го́рькой до́ле** па́харя с тоско́ю говори́л.
Н. Некрасов,
Кому на Руси жить хорошо.

Быть как (у себя́) ДО́МА.
To feel at home.
Я никогда́ не забу́ду, как прия́тно мы провели́ вре́мя у Наде́жды Васи́льевны; все го́сти **бы́ли как (у себя́) до́ма.**

У него́ не все ДО́МА.
He has a screw loose; he is not all there.
Он как-то стра́нно ведёт себя́. Мне ка́жется, что **у него́ не все до́ма.**

Желе́зная ДОРО́ГА.
Railway, railroad.
Эта **желе́зная доро́га** была́ постро́ена два́дцать лет тому́ наза́д.

Пойти́ по плохо́й ДОРО́ГЕ.
см. Пойти́ по плохо́му ПУТИ́.

Стоя́ть на хоро́шей (*или* пра́вильной) ДОРО́ГЕ.
One's future is assured/secured.
Он **стои́т на хоро́шей доро́ге,** и ему́ проро́чат блестя́щую бу́дущность.

Пробива́ть, проби́ть себе́ ДОРО́ГУ.
см. Пробива́ть, проби́ть себе́ ПУТЬ.

ДОРОЖИ́ТЬСЯ.
To ask too high a price.
Разумо́вские хоте́ли купи́ть его́ дом и подмоско́вную, и всё э́то тя́нется. Он **дорожи́тся.**
Л. Толстой, Война и мир.

От ДОСКИ́ до доски́ (проче́сть).
From cover to cover.
Как обы́чно, сего́дня у́тром я прочита́л газе́ту от **доски́ до доски́.**

ДОХНУ́ТЬ не́где (нельзя́).
It is impossible to breathe (when speaking of a cram, the tightness of a room).
Така́я теснота́, **дохну́ть не́где,** а вдоба́вок они́ ку́рят.

ДОХНУ́ТЬ не́когда.
One is very busy; one is loaded with work.
К сожале́нию, в теа́тр не пойду́: у меня́ сто́лько рабо́ты, что и **дохну́ть не́когда.**

Пляса́ть по ДУ́ДКЕ.
см. Пляса́ть под ДУ́ДКУ.

Пляса́ть под ДУ́ДКУ (*или* пляса́ть по ду́дке).
To dance to somebody's tune.
Михаи́л Па́влов беспрекосло́вно подчиня́ется по всём свое́й жене́, ина́че говоря́, **пля́шет под её ду́дку.**

ДУРА́К дурако́м.
An utter/arrant fool.
Я по́мню его́ го́ды мо́лодости, он был **дура́к дурако́м** и таки́м оста́лся.

Вы́бить ДУРЬ из головы́.
To knock the nonsense out of somebody.
Не беспоко́йтесь, уж я ему́ **вы́бью дурь из головы́.**

ДУ́ТЬСЯ, наду́ться.
To sulk, to be sulky, to be in the sulks.
До каки́х пор вы бу́дете **ду́ться** на меня́? Друг дру́гу мы не сде́лали никако́го зла.
Чехов, Дядя Ваня.

Быть в ДУ́ХЕ.
To be in high spirits, to be in a good frame of mind.
Мы се́ли за стол; хозя́ин **был** чрезвыча́йно **в ду́хе,** и ско́ро весёлость его́ сде́лалась о́бщею.
Пушкин, Выстрел.

Быть не в ДУ́ХЕ.
To be out of sorts, to be in a bad mood, to be out of humor.
Я **не в ду́хе** расска́зывать.
Лермонтов, Бэла.

Одни́м ДУ́ХОМ.
At one go, at a stretch, without a pause.
По́сле креще́ния ребёнка мое́й сестры́ я **одни́м ду́хом** вы́пил бока́л вина́.

Пони́кнуть ДУ́ХОМ.
To lose heart, to be cast down, to be dejected.
Тут-то уви́дел Ака́кий Ака́кович, что без но́вой шине́ли нельзя́ обойти́сь, и **пони́к** соверше́нно **ду́хом.**
Гоголь, Шинель.

ДУША́ (*или* се́рдце) боли́т.
One's heart bleeds.
Душа́ боли́т о сироте́: как она́ там без ма́тери.

ДУША́ взыгра́ла.
см. СЕ́РДЦЕ взыгра́ло.

ДУША́ в пя́тки ушла́.
One's heart sank to one's boots; one's heart rose to one's mouth.
У него́ **душа́ в пя́тки ушла́,** когда́ он уви́дел во́лка на охо́те.

ДУША́ нараспа́шку.
An open-hearted person.
У него́ **душа́ нараспа́шку,** и ему́ ка́жется, что все таки́е, как и он.

ДУША́ не на ме́сте.
см. СЕ́РДЦЕ не на ме́сте.

ДУША́ (*или* се́рдце) но́ет, ны́ла (ны́ло).
To whine/whimper/slobber, to ache.
И ме́жду тем **душа́** в ней **ны́ла.**
Пушкин, Евгений Онегин.

ДУША́ переверну́лась.
см. СЕ́РДЦЕ переверну́лось.

ДУША́ разрыва́ется.
см. СЕ́РДЦЕ разрыва́ется.

Ско́лько ДУШЕ́ уго́дно.
To one's heart's content.
На да́че у тёти Анны мы е́ли, пи́ли, **ско́лько душе́ уго́дно.**

Чита́ть в ДУШЕ́.
см. Чита́ть в СЕРДЦА́Х.

Ни (живо́й) ДУШИ́.
Not a (living) soul.
Сего́дня си́льный моро́з и на у́лицах **ни (живо́й) души́.**

Боле́ть ДУШО́Й (*или* се́рдцем).
To grieve, to be anxious/worried.
Она **боле́ет душо́й** за разруша́ющуюся семе́йную жизнь.

Криви́ть ДУШО́Й.
To act against one's conscience.
«Это грех — **криви́ть душо́й**», — сказа́л стари́к вну́ку.

Отдыха́ть, отдохну́ть ДУШО́Й.
To ease one's anxiety.
По́сле сме́рти му́жа Наста́сье Па́вловне о́чень хоте́лось **отдохну́ть душо́й** в среде́ бли́зких люде́й.

Вкла́дывать, вложи́ть ДУШУ *во что-л.*
To put one's soul into an undertaking, to put one's all efforts.
Не удиви́тельно, что Степа́ну Ива́новичу жаль покида́ть э́то отделе́ние: он же **ду́шу вложи́л** в его́ разви́тие.

Вы́мотать всю ДУ́ШУ *кому-л.*
To wear somebody out, to tire to death.
Этот челове́к свои́ми постоя́нными разгово́рами по телефо́ну **вы́мотал** ему́ **всю ду́шу.**

Пронзи́ть ДУ́ШУ.
см. Пронзи́ть СЕ́РДЦЕ.

Зата́ив ДЫХА́НИЕ.
With bated breath.
— Фу ты, па́кость кака́я, — пробормота́л Ива́н Ильи́ч, все э́ти мину́ты стоя́вший, **зата́ив дыха́ние.**
А. Н. Толстой, Сестры.

Е

ЕДВА́-едва́.
Only just, hardly, scarcely.
Мы так до́лго собира́лись в доро́гу, что **едва́-едва́** успе́ли на по́езд.

Все до ЕДИ́НОГО (челове́ка).
To a man, all without exception.
Все до еди́ного бы́ли эвакуи́рованы из го́рода во вре́мя войны́.

Бо́льше не ЕЗДО́К.
One will not go/come again; one does not want to go/come again.
Вон из Москвы́! Сюда́ я **бо́льше не ездо́к.**
Грибоедов, Горе от ума.

ЕЙ-же-ей.
Really, really and truly.
Ей-же-ей я бо́льше не могу́.

Е́ЛЕ-е́ле.
Hardly/barely/scarcely.
Дря́хлая, слабоси́льная кобы́лка плетётся **е́ле-е́ле.**
Чехов, Горе.

Моло́ть ЕРУНДУ́.
To talk nonsense/rot/rubbish.
Этот поли́тик полчаса́ **моло́л ерунду́.**
Как ЕСТЬ.
Entirely, totally.
Пра́вду сказа́ть, я **как есть,** не по́нял его́ тира́ды.
ЕЩЁ бы.
I should think so! Of course!
— Да захо́чет ли он прийти́ к нам?
— **Ещё бы!** Он о́чень бу́дет рад.
Тургенев, Накануне.

ЕЩЁ и ещё.
Again and again, more and more.
Река́ Си́ца в верхо́вьях состои́т из двух ре́чек, ка́ждая из них в свою́ о́чередь разбива́ется на два ручья́, пото́м **ещё и ещё.**
Арсеньев, Дерсу Узала.

Ж

С ЖА́РОМ.
With heat/ardour/animation.
Он на но́вой слу́жбе принялся́ **с жа́ром** за рабо́ту.
Зада́ть ЖА́РУ *кому-л.*
To make it hot for somebody.
Ди́ректор сре́дней шко́лы **за́дал жа́ру** ученика́м. Это они́ до́лго по́мнить бу́дут.
ЖДАТЬ не дожда́ться.
To wait impatiently.
Смотря́ на календа́рь, учени́к вздохну́л: **«Жду не дожду́сь** кани́кул».
Горе́ть ЖЕЛА́НИЕМ (+ инф.).
To burn with desire.
Он **горе́л жела́нием** увидеться с жено́й и детьми́.
Пасть ЖЕ́РТВОЙ.
To fall victim.
Пётр **пал же́ртвой** че́стного отноше́ния к де́лу.
Краси́вый ЖЕСТ.
Fine gesture, *beau geste*.
Сипя́гин схвати́л свою́ шля́пу **краси́вым же́стом.**
Тургенев, Новь.

Ни ЖИВ ни мёртв.
More dead than alive.
Ма́льчик так испуга́лся соба́ки, что прибежа́л домо́й **ни жив ни мёртв.**
Хорошо́ нам с тобо́й ЖИВЁТСЯ.
We live well together.
— сказа́л Са́ша и зевну́л. — **Хорошо́ нам с тобо́й живётся,** Ва́ря, так хорошо́, что да́же не вероя́тно!
Чехов, Дачники.

Надорва́ть ЖИВО́Т (*или* живо́тики) со́ смеху (*или* со сме́ха).
To split one's sides with laughter.
Иногда́ как начнёт (Печо́рин) расска́зывать, так **живо́тики надорвёшь со сме́ха.**
Лермонтов, Бэла.

Положи́ть свой ЖИВО́Т за оте́чество.
To give one's life for one's country.
В исто́рии америка́нского наро́да мно́го геро́ев, кото́рые **положи́ли свой живо́т за оте́чество.**
Надорва́ть ЖИВО́ТИКИ со сме́ха.
см. Надорва́ть ЖИВО́Т со́ смеху.
Никогда́ в ЖИ́ЗНИ.
Never in one's life, never in one's born days.
Я **никогда́ в жи́зни** не встреча́л тако́го упря́мого челове́ка, как Никола́й.
Входи́ть, войти́ в ЖИЗНЬ.
To become usual.
Этот обы́чай **вошёл в жизнь** на́ших лётчиков.
В. Кожевников, Близость.

Дарова́ть ЖИЗНЬ.
To grant life.
Приговорённому к сме́ртной ка́зни престу́пнику **дарова́ли жизнь.**
Жена́тая ЖИЗНЬ.
Wedded bliss, married life.
Моему́ бра́ту о́чень нра́вится **жена́тая жизнь.**
Не ЖИЛЕ́Ц на бе́лом све́те.
Not long for this world, on death's threshold, about to die.
— Вы бы́ли вчера́ в го́спитале. Как Мари́я Ива́новна себя́ чу́вствует?
— Нехорошо́, ви́дно она́ уж **не жиле́ц на бе́лом све́те.**
Заплыва́ть, заплы́ть ЖИ́РОМ.
To grow very fat.
Смотри́те, как э́тот ма́льчик **заплы́л жи́ром.**
С ЖИ́РУ беси́ться.
Not to know what one wants.
Он **с жи́ру бе́сится,** и его́ никто́ и ничто́ не удовлетвори́т.
ЖИТЬ безбе́дно.
To live comfortably.
Они́ всю жизнь тяжело́ рабо́тали, зато́ на ста́рости лет они́ **живу́т безбе́дно.**

ЖИТЬЁ-бытьё.
Mode of existence/living/life.
Дя́дя прие́хал и рассказа́л нам о **житьё-бытьё** родны́х в прови́нции.
ЖИТЬЯ́ нет.
Life is made impossible.
Там таки́е усло́вия, что про́сто **житья́ нет.**
ЖРЕ́БИЙ бро́шен.
The die is cast/thrown.
Жре́бий бро́шен: они́ реши́ли прода́ть име́ние и перее́хать в го́род.

З

Италья́нская ЗАБАСТО́ВКА.
A sit-down strike.
Рабо́чие, не получи́в приба́вки к жа́лованью, объяви́ли **италья́нскую забасто́вку.**
Преда́ть ЗАБВЕ́НИЮ.
To bury in oblivion.
Он стара́лся **преда́ть забве́нию** воспомина́ния ю́ных лет.
ЗАБЕЖА́ТЬ вперёд.
To leap ahead of the normal course of events.
Ива́н Ильи́ч ждал ме́ста председа́теля в университе́тском го́роде, но Гонне́ **забежа́л** как-то **вперёд** и получи́л э́то ме́сто.
Л. Толстой, Смерть Ивана Ильича.

Без ЗАБО́Т.
Carefree.
Его́ мо́лодость прошла́ **без забо́т.**
В ЗАБРО́СЕ.
To be neglected.
Я так занята́ хозя́йством и детьми́, что у меня́ огоро́д **в забро́се.**
Ввек не ЗАБУ́ДУ.
I shall never forget it; I shall not forget it as long as I live.
(Я) почу́вствовал, что э́того лица́ я **ввек не забу́ду.**
Тургенев, Три встречи.

Себя́ не ЗАБЫВА́ТЬ, забы́ть.
To take care of one's own profit, to look after one's own interest.
Госпожа́ Петро́ва, ва́ше беспоко́йство не основа́тельно: ваш сын **себя́ не забу́дет.**
На ЗА́ВИСТЬ.
So that one can envy.
Если он врал, то **на за́висть** хорошо́.
Говори́ть ЗАГА́ДКАМИ.
To talk/speak in riddles.
Не **говори́ зага́дками,** а скажи́ пря́мо, в чём де́ло.
ЗАГЛЯДЕ́НЬЕ.
Lovely sight, feast for the eyes.
Како́й прекра́сный вид! Про́сто **загляде́нье!** И лес, и го́ры, и река́! . . .
На ЗАДВО́РКАХ.
In the background, in the rear, in the very last/disadvantageous place.
По-мо́ему, бы́ло непра́вильно помести́ть заме́тку Анато́лия где-то в конце́ газе́ты, **на задво́рках.**
ЗАДЕ́ТЬ за живо́е.
To cut/sting somebody to the quick, to touch somebody on the raw.
Твоё выступле́ние **заде́ло** капита́на **за живо́е.**
ЗА́ДОМ наперёд.
Backwards, wrong way around, to put the cart before the horse.
Посмотри́, он наде́л ша́пку **за́дом наперёд.**
Без ЗАДО́РИНКИ (*или* без сучка́, без задо́ринки; ни сучка́, ни задо́ринки).
Without a hitch.
Пое́здка студе́нтов за грани́цу прошла́ отли́чно, **без задо́ринки.**
На ЗАКА́ТЕ дней (*или* жи́зни).
At the ebb of life, in the decline of life, in the declining years.
Отсу́тствие того́, что това́рищи-фило́софы называ́ют о́бщей иде́ей, я заме́тил в себе́ то́лько незадо́лго пе́ред сме́ртью, **на зака́те** свои́х **дней.**
Чехов, Скучная история.

Би́ться об ЗАКЛА́Д.
To bet.
Бью́сь об закла́д, что вы не полу́чите повыше́ния по слу́жбе.
В ЗАКЛЮЧЕ́НИЕ.
In conclusion.
В заключе́ние вы́слушайте, что случи́лось у Никола́евых.
На ЗАКУ́СКУ.
For a titbit.
— Погоди́, я приберегла́ тебе́ ве́сточку **на заку́ску.**
С. Аксаков, Семейная хроника.

Ба́рские ЗАМА́ШКИ.
Haughty manners, high-and-mighty manners, cavalier manner.
Васи́лий, встреча́я знако́мых, отвеча́ет на их приве́тствия небре́жным кивко́м головы́; э́то одна́ из его́ **ба́рских зама́шек.**
Брать, взять на ЗАМЕ́ТКУ.
To note.

Я **взял на заме́тку** страни́цу с ну́жной цита́той.

На ЗАМКЕ́.
см. Под ЗАМКО́М.

Возду́шные ЗА́МКИ.
Castles in the air.
Его́ за́мыслы — возду́шные за́мки.

ЗАМКНУ́ТЬСЯ в себе́.
To shrink into oneself, to introvert.
Напра́сно, Алексе́й, так **замкну́лся в себе́** — одному́ трудне́е справля́ться с го́рем.
Ажаев, Далеко от Москвы.

Под ЗАМКО́М (*или* на замке́).
Under lock and key.
Этот стари́к де́ржит все свои́ де́ньги **под замко́м.**

Быть ЗА́МУЖЕМ.
To be married.
Она́ уже́ три го́да **за́мужем.**

ЗАОДНО́.
At the same time.
Идёшь за поку́пками — купи́ **заодно́** для меня́ па́чку папиро́с.

До ЗАРЕ́ЗУ.
Desperately.
У него́ бы́ли больши́е расхо́ды, и тепе́рь ему́ **до заре́зу** ну́жно сто рубле́й .

От ЗАРИ́ до зари́.
From morning to night, all the live-long day, from night to morning, all night long.
Что за зву́ки, за пе́сни полью́тся. Деньденьско́й, **от зари́ до зари́!**
И. Никитин,
Полно степь моя, спать беспробудно.

По ЗАСЛУ́ГАМ.
According to somebody's merit/deserts.
В э́том ба́нке чино́вников награжда́ют **по заслу́гам.**

Не ЗАСТА́ВИТЬ себя́ ждать.
Not to keep one waiting.
Ребёнок Ива́новых проглоти́л пу́говицу — к сча́стью, до́ктор **не заста́вил себя́ жда́ть.**

Станови́ться в ЗАТЫ́ЛОК.
To keep in file.
Инстру́ктор гимна́стики приказа́л ученика́м **станови́ться в заты́лок.**

ЗАЧАСТУ́Ю.
Often, frequently.
Вдова́ расска́зывала о свое́й печа́ли и **зачасту́ю** прерыва́ла расска́з молча́нием.

Брать, взять под ЗАЩИ́ТУ.
To take somebody/something under one's protection.
Госуда́рство **взя́ло** беглецо́в **под** свою **защи́ту.**

(Ни) ЗГИ не вида́ть.
It is pitch dark.
А ночь, изво́лю вам доложи́ть, тёмная-претёмная — про́сто **зги не вида́ть.**
Тургенев,
Разговор на большой дороге.

Посади́ть *кого-л.* на ЗЕ́МЛЮ.
To make somebody live a settled way of life.
Это це́лая больша́я зада́ча — **посади́ть** коче́вника **на зе́млю.**
Фурманов, Мятеж.

Бере́чь как ЗЕНИ́ЦУ о́ка.
To cherish as the apple of one's eye, to keep as the apple of one's eye.
— Да сказа́ть ле́карю, чтоб он перевяза́л ему́ ра́ну и **берёг** его **как зени́цу о́ка.**
Пушкин, Капитанская дочка.

ЗИМА́ на носу́.
Winter is nigh at hand; winter is near.
Зима́ на носу́, и крестья́нам на́до запасти́сь дрова́ми для отопле́ния.

Отогре́ть (*или* пригре́ть) ЗМЕЮ́ на груди́.
To cherish/warm a snake in one's bosom.
Отогре́й змею́ на груди́, а она́ отпла́тит тебе́ чёрною неблагода́рностью.

ЗМЕЯ́ подколо́дная.
Snake in the grass, viper.
— Это всё ты! Ты, **змея́ подколо́дная!** Ты наговори́ла! Сжить нас со́ свету хо́чешь.
Тендряков, Не ко двору.

Кто его ЗНА́ЕТ!
Who knows!
«Где ваш друг шата́ется?» — **«Кто его́ зна́ет!»**

ЗНАЙ себе́ (+ глаго́л наст. вр.).
Regardless of anything.
Не понима́ю, что с на́шим сы́ном ... Говорю́ ему́, ско́лько у меня́ забо́т о его́ бу́дущем, а он **знай себе́** посме́ивается.

В ЗНАК согла́сия.
In consent.
— На Вы́боргскую, — повторя́ет вое́нный. — Да ты спишь, что-ли? На Вы́боргскую! — **В знак согла́сия** Ио́на дёргает во́жжи.
Чехов, Тоска.

Заводи́ть, завести́ ЗНАКО́МСТВО.
To set/strike up an acquaintance.
Он **завёл знако́мство** с изве́стной киноарти́сткой.

Ша́почное ЗНАКО́МСТВО.
A nodding acquaintance.
Я от вас узна́л, что он брат до́ктора Ме́ньшикова; у меня́ с ним то́лько **ша́почное знако́мство,** и я не знал кто он.

ЗНАТЬ насквóзь.
см. ВИ́ДЕТЬ насквóзь.

Не ЗНАТЬ, кудá девáться.
Not to know what to do with oneself.
Но как скóро начинáло смеркáться, я совершéнно **не знал, кудá девáться.**
Пушкин, Выстрел.

Откýда мне ЗНАТЬ?
How could I know?
— Когдá кóнчится войнá, дя́дя?
— **Откýда мне знать?** Я не поли́тик.

Как вас, тебя́ и т. д. ЗОВУ́Т?
What is your, etc., name?
«Как вас зовýт?» — «Ни́на».

Имéть ЗУБ прóтив *кого-л.*
To have a grudge against somebody, to bear somebody a grudge.
Он **имéл зуб прóтив** своегó сослужи́вца и ожидáл возмóжности, чтóбы повреди́ть емý.

На ЗУБÓК вы́учить.
To learn thoroughly.
Он, приготовля́ясь к экзáмену, **вы́учил на зубóк** стихотворéния Пýшкина.

Заговáривать, заговори́ть ЗУ́БЫ.
To fool somebody with fine words.
Что ты, бáтюшка, **заговáриваешь** мне **зýбы,** лýчше говори́ о дéле.

Класть, положи́ть ЗУ́БЫ на пóлку.
To tighten one's belt, to starve/famish.
Éсли потеря́ю рабóту, то придётся **положи́ть зýбы на пóлку.**

И

С ИГÓЛОЧКИ.
Brand new (suit/dress, etc.).
На нём бы́ло пальтó **с игóлочки.**

Азáртная ИГРÁ (*или* азáртно игрáть).
Game of chance/hazard, gambling.
Пáвел нáчал **азáртно игрáть** в кáрты — он несомнéнно разори́тся.

ИГРÁТЬ по мáленькой.
To play low, to play for low stakes.
Егó кáрта вы́играла, но жáлко, что **игрáл по мáленькой.**

Азáртно ИГРÁТЬ.
см. Азáртная ИГРÁ.

Стоя́ть (*или* сидéть) И́ДОЛОМ.
To stand/sit like a stone image.
Замéтили ли вы, что на приёме у Смирнóвых, когдá все смея́лись и весели́лись, Пётр **сидéл и́долом.**

ИДТИ́ (*или* дéйствовать) напролóм.
To stop at nothing, to push one's way through, to go right through, to break through.
Éсли ужé и́збрана цель, уж нýжно **идти́ напролóм.**
Гоголь, Мёртвые души.

ИДТИ́ напропалýю.
To push one's way recklessly/desperately.
Николáй, имéя в жи́зни одни́ неудáчи, реши́л **идти́ напропалýю.**

Как ИЗВÉСТНО (вводн. сл.).
As is generally known.
(Собáки), **как извéстно,** не мóгут равнодýшно ви́деть бегýщего человéка.
Гончаров, Обломов.

Брать, взять ИЗМÓРОМ.
1. **To take by starvation, to starve into submission/surrender.**
2. **To bore someone to death by endlessly talking.**

1. Полови́ну стáнции зáняли партизáны, другýю полови́ну — казаки́... Тогдá реши́ли вы́йти вон, обложи́ть нáглухо, **взять измóром.**
Фурманов, Мятеж.
2. Ну, уж как надоéл, бáтюшка, ваш прослáвленный Ивашéнков. Он **измóром берёт:** говори́т и говори́т без концá.
Л. Толстой, Воскресение.

Смотрéть (*или* вы́глядеть) ИМЕНИ́ННИКОМ.
To look bright and happy.
Не понрáвилось Фомé Фомичý, что я рад и **смотрю́ имени́нником!**
Достоевский, Село Степанчиково.

По ИНÉРЦИИ.
Under one's own momentum.
Лицó моё всё ещё продолжáет улыбáться, должнó быть, **по инéрции.**
Чехов, Скучная история.

За ИСКЛЮЧÉНИЕМ.
With the exception.
Расскáз óчень понрáвился мне, **за исключéнием** нéкоторых детáлей.
Горький, Леонид Андреев.

Вновь ИСПЕЧЁННЫЙ.
New-fledged.
Николáй, **вновь испечённый** студéнт, пришёл к нам в тóлько что сши́том студéнческом мунди́ре.

ИСПОДНИ́ЗУ.
From below.
Пóчва свéрху сухá, **исподни́зу** мокрá.

ИСПОДТИШКА́.
Quietly, stealthily, in an underhand way, on the quiet/sly.
Мари́я Ива́новна **исподтишка́** гля́нула на него́.

А́збучная И́СТИНА.
Truism.
То, что вы нам сказа́ли, **а́збучная и́стина,** и мы всё э́то хорошо́ зна́ем.

Ввяза́ться в неприя́тную ИСТО́РИЮ.
To be mixed up/involved in an unpleasant business.
Я о́чень жале́ю, что **ввяза́лся в** э́ту **неприя́тную исто́рию.**

Быть на ИСХО́ДЕ.
To be coming to an end, to be nearing the end, to be drawing to a close.
Когда́ они́ отпра́вились в доро́гу, день уже́ **был на исхо́де.**

В ИСХО́ДЕ.
Toward the end.
В исхо́де четвёртого ча́са в за́ле и гости́ной начина́ется движе́ние.
Чехов, Скучная история.

ИСЧА́ДИЕ а́да.
Fiend.
Я стара́юсь не слу́шать Маслобо́ева, но слова́ са́ми назо́йливо ле́зут мне в го́лову. Он ка́жется мне **исча́дием а́да.**
Новиков-Прибой, В бухте «Отрада».

В ИТО́ГЕ.
As a result, in the end.
Мы обсужда́ли э́тот вопро́с, пото́м на́чали спо́рить и **в ито́ге** поссо́рились.

Й

Ни на Йо́ТУ.
Not a jot, not a whit.
В предска́зывании пого́ды метеоро́лог **ни на йо́ту** не оши́бся.

К

Быть (*или* находи́ться, найти́сь) под КАБЛУКО́М (*или* каблучко́м) *у кого-л.*
To be under somebody's thumb.
Хвастли́вый молодожён уже́ **находи́лся под каблуко́м** у жены́.

Быть (*или* находи́ться, найти́сь) под КАБЛУЧКО́М *у кого-л.*
см. Быть (*или* находи́ться, найти́сь) под КАБЛУКО́М.

КАДИ́ТЬ.
To flatter, to fawn upon.
Есть мно́го нача́льников, кото́рые хотя́т, чтоб их подчинённые им **кади́ли.**

КАК бу́дто.
As if.
Он шёл ... не́сколько раз остана́вливался, тяжело́ дыша́, **как бу́дто** нёс непоси́льный груз.
К. Тренёв, День рождения.

КАК-ника́к.
After all.
(Воло́дя) чу́вствовал уже́ уста́лость — **как-ника́к,** он не спал вторы́е су́тки.
Березко, Мирный год.

КАК раз.
Just, exactly.
Как раз пе́ред воро́тами, на доро́ге, стоя́ли возы́.
Чехов, Степь.

КАК ... так и ...
Both ... and ...
Как кавале́рия, **так и** пехо́та, тро́нулись с ме́ста атакова́ть неприя́тельские пози́ции.

Вот КАК!
Is that so!
— Дя́дя прие́хал из Евро́пы!
— **Вот как!**

КАКО́В собо́й?
см. КАКО́Й из себя́.

КАКО́Й он (кака́я она́) из себя́?
What does he (she) look like?
— Но всё-таки любопы́тно, **како́й** же **он из себя́?**
— Невзра́чный, но у́мница.
П. Яльцев, Мафусаил.

Хоть КАКО́Й-нибу́дь.
At least any old thing.
В э́том городке́ больша́я ску́ка. О, е́сли бы здесь жил **хоть како́й-нибудь** образо́ванный челове́к, с кото́рым мо́жно бы́ло б поговори́ть с то́лком ...

Ни в КАКУ́Ю.
For nothing, to no avail.
Пригляну́лась Ната́лья, стал её сва́тать. Она́ же — **ни в каку́ю.**
Арамилев, Путешествие на Кульдур.

Тёртый КАЛА́Ч.
Old stager, slick customer, an old hand at.

Это челове́к о́пытный, себе́ на уме́, не злой и не до́брый, а бо́лее расчётливый; э́то **тёртый кала́ч,** кото́рый зна́ет люде́й и уме́ет и́ми по́льзоваться.

Тургенев, Певцы.

КАЛАЧО́М не зама́нишь.

You can't get one for love or money.

Ты его́ в свой дом **калачо́м не зама́нишь:** его́ ниче́м взять нельзя́.

Довести́ до бе́лого КАЛЕ́НИЯ.

To rouse to fury.

Нача́льник постоя́нным выраже́нием недово́льства **довёл** меня́ **до бе́лого каления.**

КАЛИ́Ф на ча́с.

King for a day.

Я всё гото́в для тебя́ сде́лать, — сказа́л Ма́сленников, — но, ви́дишь ли, я **кали́ф на ча́с.**

Л. Толстой, Воскресение.

КАМЕНЕ́ТЬ, окамене́ть.

To grow heavy/immovable.

Когда́ Васи́лию приходи́лось убежда́ть уста́лых люде́й идти́ на рабо́ту . . . у него́ **камене́л** язы́к и се́рдце тяжеле́ло от жа́лости.

Николаева, Жатва.

Держа́ть (*или* име́ть) КА́МЕНЬ за па́зухой.

To conceal a great hate toward somebody.

Иван Фёдорович, бу́дьте осторо́жны в отноше́нии к ва́шему сосе́ду: он для вас **ка́мень де́ржит за па́зухой.**

Подво́дный КА́МЕШЕК (*или* подво́дные ка́мешки).

A difficulty which is hard to foresee.

Я зна́ю, что мне тру́дно бу́дет спра́виться со все́ми **подво́дными ка́мешками,** кото́рые ждут меня́ в но́вой стране́.

Би́ться до после́дней КА́ПЛИ кро́ви.

To fight to the last drop of blood.

Они́ герои́чески защища́ли свою́ ро́дину: не сдали́сь, а **би́лись до после́дней ка́пли кро́ви.**

Похо́жи как две КА́ПЛИ воды́.

As like as two peas in a pod.

Серге́й Никола́евич и его́ брат Алекса́ндр **похо́жи** друг на дру́га, **как две ка́пли воды́.**

КА́ПЛЯ в мо́ре.

A drop in the ocean/in the bucket.

Что зна́чат э́ти де́ньги для бога́того челове́ка! **Ка́пля в мо́ре.**

Держи́ КАРМА́Н (ши́ре).

Don't wait; don't count on; don't expect.

— Наде́юсь получи́ть повыше́ние по слу́жбе.

— **Держи́ карма́н (ши́ре).**

Наби́ть КАРМА́Н (*или* мошну́).

To fill one's pockets, to become rich/wealthy.

Твой брат на ска́чках **наби́л** себе́ **карма́н.**

Бить по КАРМА́НУ.

To cost one a pretty penny.

Бить по карма́ну — э́то са́мое лу́чшее наказа́ние для таки́х люде́й, как он.

Не по КАРМА́НУ.

It costs more than one can afford.

Автомоби́ля у меня́ нет: автомоби́ль мне **не по карма́ну.**

Что КАСА́ЕТСЯ.

As to, as regards.

Что каса́ется меня́, то моя́ цель — стать космона́втом.

В КА́ЧЕСТВЕ.

In the capacity of, as.

Университе́т пригласи́л его́ **в ка́честве** языкове́да.

КВИТЫ (*или* квит).

Quits, even, paid off.

Я получи́л от тебя́ два́дцать рубле́й и мы с тобо́й тепе́рь **кви́ты.**

КИПЯТИ́ТЬСЯ.

To get excited.

Скажи́ ему́ одно́ сло́во, кото́рое ему́ не нра́вится, и он сра́зу **кипяти́тся.**

КИПЯТО́К.

Hot tempered, hasty.

По ви́ду он споко́йный, а в действи́тельности — **кипято́к.**

Кишмя́ КИШЕ́ТЬ.

To swarm with.

База́р **кишмя́ кише́л** наро́дом.

КЛА́ДЕЗЬ премýдрости.

Well of wisdom.

Не преувели́чивают ли они́, говоря́, что Никола́й — **кла́дезь прему́дрости.**

Не хвата́ет (одно́й) КЛЕ́ПКИ в голове́.

One has got a screw loose.

Сын Си́доровых — краси́вый па́рень; жа́лко, что у него́ **не хвата́ет клёпки в голове́.**

КЛЮЧО́М бить, заби́ть (*или* кипе́ть, закипе́ть).

To be in full swing/vigor.

Нэп начался́. Оживле́ние. Торго́влишка завяза́лась. Жизнь **ключо́м заби́ла.**

М. Зощенко, Пушкин.

Нажима́ть, нажа́ть (на) все КНО́ПКИ.

см. Нажа́ть на все ПЕДА́ЛИ.

Ни за каки́е КОВРИ́ЖКИ.

Not for the world.

Эту карти́ну не отда́м **ни за каки́е коври́жки.**

КО́ЖА да ко́сти.

A bag of bones.

Мне жаль смотре́ть на э́того больно́го, лишь **ко́жа да ко́сти.**

Из КО́ЖИ (вон) лезть, вы́лезти.
To do one's utmost, to lean over backwards.
Стари́к **лез из ко́жи,** что́бы угоди́ть.
Мамин-Сибиряк, Без особенных прав.

КОЗЁЛ отпуще́ния.
Scapegoat.
Он в до́ме свои́х роди́телей был **козло́м отпуще́ния:** его́ ста́рший брат сва́ливал на него́ свои́ ви́ны.

Ему́ хоть КОЛ на голове́ теши́.
He is pig-headed; he is as stubborn as a mule.
С э́тим сумасбро́дом ника́к не догово-ри́шься; **ему́ хоть кол на голове́ теши́.**

Войти́ в КОЛЕЮ́.
см. Войти́ в РУ́СЛО.

С (*или* от) КОЛЫБЕ́ЛИ.
Since/from early childhood, from the cradle.
У него́ тако́й круто́й нрав уже́ **с колы-бе́ли.**

Игра́ть (*или* разы́грывать) КОМЕ́ДИЮ.
To make a game of make-believe, to try to fool.
Како́й ты наи́вный: он **игра́ет коме́дию,** а ты ему́ ве́ришь.

За КОМПА́НИЮ.
For company.
«Ну, дава́йте пить **за компа́нию!»** — ска-за́л Степа́н Дими́триевич, поднима́я ста-ка́нчик.

Тёплая КОМПА́НИЯ.
Jolly crowd.
Па́вел Ио́сифович сове́товал ему́ дер-жа́ться пода́льше от э́той **тёплой ком-па́нии.**

Рассыпа́ться, рассы́паться в КОМПЛИМЕ́НТАХ.
см. Рассыпа́ться, рассы́паться в ПОХВАЛА́Х.

Положи́ть КОНЕ́Ц.
To make an end.
Этим недоразуме́ниям на́до **положи́ть коне́ц:** они́ прино́сят то́лько вред, а не по́льзу.

Вне КОНКУРЕ́НЦИИ.
Beyond competition.
Англи́йская шерстяна́я промы́шленность **вне конкуре́нции.**

КОНУРА́.
Dog-hole, hovel.
Припо́мнился ему́ оте́ц-мещани́н, сле́-сарь, жизнь в тёмной **конуре́,** грязь и бе́дность.
Помяловский, Мещанское счастье.

Без КОНЦА́.
Endlessly, without an end.
С ним мо́жно спо́рить **без конца́.**

Из КОНЦА́ в коне́ц.
From end to end, from one end to the other.
Мы прое́хали стани́цу **из конца́ в коне́ц.**
Короленко, У казаков.

Ни КОНЦА́, ни кра́ю (кра́я) нет (*или* конца́-кра́ю (кра́я) нет).
There is no end to it.
Её разгово́рам **ни конца́, ни кра́ю нет.**

В КОНЦЕ́ концо́в.
Finally, after all, in the long run.
В конце́ концо́в они́ (офице́ры) взя́ли сто́рону команди́ра.
Новиков-Прибой, Капитан 1-го ранга.

Коша́чий КОНЦЕ́РТ.
Hooting.
Ученики́ устро́или **коша́чий конце́рт** пло-хо́му учи́телю.

КОНЦЫ́ в во́ду.
Nobody will know about it; none will be the wiser.
Хи́трый престу́пник соверши́л э́то пре-ступле́ние и — **концы́ в во́ду.**

Своди́ть КОНЦЫ́ с конца́ми.
To make ends meet.
Зна́ю, что сам ты едва́ **концы́ с конца́ми сво́дишь** и акри́дами пита́ешься.
Чехов, Отец.

КО́НЧЕНО!
Enough! That's settled.
«**Ко́нчено!** С за́втрашнего дня броса́ю кури́ть», — заяви́л Ива́н Ива́нович, вер-ну́вшись от до́ктора.

В КОПЕ́ЕЧКУ стать (*или* обойти́сь, вскочи́ть, влете́ть, влезть).
It will cost a pretty penny.
Мой брат разосла́л приглаше́ния на сва́дьбу до́чери пяти́десяти гостя́м. Это ему́ **ста́нет в копе́ечку.**

КОПЕ́ЕЧНЫЙ.
Petty, miserly.
Нет в тебе́ ве́ры, нет теплоты́ серде́чной; ум, всё оди́н то́лько **копе́ечный** ум.
Тургенев, Дворянское гнездо.

КОПЕ́ЙКА в копе́йку.
Exactly to the penny.
Купе́ц, си́дя за кни́гами, подсчи́тывал **копе́йка в копе́йку** свой ме́сячный рас-хо́д.

Без КОПЕ́ЙКИ.
Penniless.
Он всё про́жил и оста́лся **без копе́йки** в карма́не.

То́чная КО́ПИЯ.
Exact copy, replica, the very image.
Она́ **то́чная ко́пия** ма́тери.

На все КО́РКИ руга́ть (*или* брани́ть).
To rail at/against somebody.
Он о́чень взволнова́лся и на́чал Си́дора **руга́ть на все ко́рки.**

От КО́РКИ до ко́рки.
From cover to cover.
Тетра́дь студе́нтки **от ко́рки до ко́рки** испи́сана воспомина́ниями.

В КО́РНЕ.
Radically, fundamentally, entirely.
По-мо́ему, э́то **в ко́рне** непра́вильное реше́ние.

Красне́ть, покрасне́ть до КОРНЕ́Й воло́с.
To blush to the roots of one's hair.
При появле́нии Фёдора Ольга вся́кий раз **красне́ла до корне́й воло́с.**

Вырыва́ть, вы́рвать с КО́РНЕМ.
To root out, to tear up by the roots, to eradicate, to uproot, to extirpate.
В шко́лах де́лали всё возмо́жное, что́бы **вы́рвать с ко́рнем** дурны́е накло́нности ученико́в.

Пуска́ть, пусти́ть КО́РНИ.
To take root.
Привы́чка кури́ть **пусти́ла** во мне глубо́кие **ко́рни.**

Це́лый КО́РОБ новосте́й.
Heaps of news.
В воскресе́нье у́тром к нам яви́лась Ири́на с **це́лым ко́робом новосте́й.**

С три КО́РОБА наговори́ть.
To talk much, to spin a long yarn.
— Наве́рное, вам про меня́ уж **с три ко́роба наговори́ли.**
Чехов, Тина.

КОРО́БИТЬ.
To provoke an extremely disagreeable feeling, to jar, to shock.
Меня́ **коро́бит** от э́той несправедли́вости.

Бо́жья КОРО́ВКА.
Meek/lamblike creature.
Ива́н вчера́ пришёл в я́рость. Как ви́дно, и **Бо́жью коро́вку** мо́жно вы́вести из себя́.

Промо́кнуть до КОСТЕ́Й.
To get wet to the skin, to get drenched to the bone.
Сего́дня с утра́ шёл дождь и она́ **промо́кла до косте́й.**

Раскла́дывать, разложи́ть КОСТЁР.
см. Раскла́дывать, разложи́ть ОГО́НЬ.

В КОСТЮ́МЕ Ада́ма.
In one's birthday suit.
Нату́рщик пози́ровал ску́льптору **в костю́ме Ада́ма.**

В КОСТЮ́МЕ Евы.
In one's birthday suit.
Как гласи́т леге́нда, лэ́ди Годи́ва прое́хала верхо́м **в костю́ме Евы** че́рез го́род Ко́вентри.

Стро́ить, постро́ить (*или* воздвига́ть, воздви́гнуть) на КОСТЯ́Х.
To achieve/attain something at the cost/price of many sacrifices.
Петербу́рг **постро́ен на костя́х** челове́ческих.

КОТ напла́кал.
Nothing to speak of, next to nothing.
Он взял на себя́ покры́тие расхо́дов, а де́нег у него́ **кот напла́кал.**

КОТА́ в мешке́ покупа́ть, купи́ть.
To buy a pig in a poke.
Мне предложи́ли купи́ть загла́зно дом в чужо́м го́роде, но я принципиа́льно **кота́ в мешке́** не **покупа́ю.**

Туго́й КОШЕЛЁК.
Tightly-stuffed purse, well-heeled.
Он мо́жет пое́хать в Евро́пу, у него́ **туго́й кошелёк.**

Жить как КО́ШКА с соба́кой.
To live a cat-and-dog life.
Мои́ сосе́ди **живу́т как ко́шка с соба́кой,** и нет никако́й наде́жды, что вражда́ ме́жду ни́ми уймётся.

КРАЙ све́та.
The world's ends.
Влади́мир, раздражённый мно́гими неуда́чами, пое́хал попыта́ть сча́стья куда́-то на **край све́та.**

Вдава́ться, вда́ться в КРА́ЙНОСТИ.
To run to extremes.
Он де́ржится разу́мной поли́тики, не **вдаётся в кра́йности.**

КРАСА́ВЧИК.
Dandy.
Да како́й ты **краса́вчик** стал!
Тургенев, Отцы и дети.

Во всей свое́й КРАСЕ́.
In all one's beauty.
На дворе́ **во всей свое́й** холо́дной, нелюди́мой **красе́** сто́яла ти́хая моро́зная ночь.
Чехов, Шампанское.

КРА́СКА броса́ется, бро́силась в лицо́.
Blood rushes, rushed into one's face.
От гне́ва **кра́ска бро́силась** ему́ **в лицо́.**

Сгуща́ть, сгусти́ть КРА́СКИ.
To exaggerate, to lay it on thick.
Изобража́я отрица́тельные хара́ктеры, она́ всегда́ **сгуща́ет кра́ски.**

Вгоня́ть, вогна́ть *кого-л.* в КРА́СКУ.
To make somebody blush.
Он, затро́нув его́ больно́е ме́сто, **вогна́л** его́ **в кра́ску.**

Для КРАСЫ.
As an ornament.
На высóкой кры́ше дóма возвышáлся бáшней высóкий фонáрь, не **для красы́** и́ли для ви́дов, а для наблюдéния за рабóтающими ...
Гоголь, Мёртвые души.

Быть (*или* находи́ться) на КРАЮ ги́бели.
To be on the verge/brink of ruin.
Жи́тели Неáполя **бы́ли на краю́ ги́бели** из-за извержéния Везу́вия.

Из КРА́Я в край.
From end to end.
(Царь:) Это что? (Фёдор:) Чертёж земли москóвской; нáше цáрство **из крáя в край.**
Пушкин, Борис Годунов.

Сверну́ться КРЕ́НДЕЛЕМ.
To roll up, to curl up.
Вороти́вшись из далёкого путешéствия домóй, я **сверну́лся крéнделем** на дивáне и засну́л в ту же мину́ту.

КРЕ́ПКО-нáкрепко.
1. **Tightly/firmly, double fast.**
2. **Very strictly/severely.**
1. Эту разóрванную верёвку нáдо **крéпко-нáкрепко** связáть.
2. Этому хулигáну **крéпко-нáкрепко** приказáли вы́йти.

Боевóе КРЕЩЕ́НИЕ.
Baptism of fire.
В развéдчиках получи́л он **боевóе крещéние** и заслужи́л геóргиевский крест.
Казакевич, Звезда.

Послéдний КРИК мóды.
The last word in fashion, the last cry of fashion.
Вóзле генерáла Николáева стои́т егó женá, на ней плáтье пари́жского шитья́ — **послéдний крик мóды.**

Не выдéрживать КРИ́ТИКИ.
To be beneath criticism, to be no good at all, not to hold water.
Проéкты представленные на совещáнии одни́м из члéнов комитéта, **не выдéрживают кри́тики.**

Ни́же вся́кой КРИ́ТИКИ.
Beneath criticism.
Вчерáшняя телевизиóнная передáча былá **ни́же вся́кой кри́тики.**

Перепóртить (*или* испóртить) мнóго КРÓВИ.
To cause much trouble.
Её невéжество и вытекáющие из негó чáстые вопрóсы **перепóртили** мне **мнóго крóви.**

По КРÓВИ.
By birth.
«Он ру́сский?» — «Да, он ру́сский, но **по крóви** он францу́з».

Ни КРОВИНКИ в лицé.
Deathly pale.
У э́того больнóго **ни крови́нки в лицé.**

КРОВЬ льётся, лилáсь.
Blood is, was shed.
Солдáтская **кровь лилáсь** при оборóне морскóй крéпости.

КРОВЬ с молокóм.
In blooming health, the very picture of health.
Пóсле болéзни онá былá бледнá, как полотнó, но тепéрь у неё лицó — **кровь с молокóм.**

КРОВЬ сты́нет (*или* леденéет и т. п.) (в жи́лах).
It chills one's blood; one's blood freezes (in one's veins).
Кровь сты́нет, как тóлько вспóмню рáненого в гóлову товáрища.

Наливáться, нали́ться КРÓВЬЮ.
To become bloodshot.
Егó лицó **налилóсь крóвью,** гу́бы посинéли.

КРÓМЕ как.
Only.
Такóго удовóльствия я нигдé не нахожу́, **крóме как** в вáшем дóме.

Ни КРÓШКИ.
Not a bit.
В сосéдней кóмнате шумли́вые дéти, но э́то ему́ **ни крóшки** не мешáет.

Заколдóванный КРУГ.
Vicious circle.
Гости́ные, сплéтни, балы́, тщеслáвие, ничтóжество — вот **заколдóванный круг,** из котóрого я не могу́ вы́йти.
Л. Толстой, Война и мир.

На КРУГ.
On the average.
Фабри́чные рабóчие заработáли **на круг** всегó по пятьдеся́т рублéй в мéсяц.

Вращáться в КРУГУ (*или* в óбществе).
To move in somebody's circle, to frequent the society of somebody.
Он **вращáлся в кругу́** хорошó воспи́танных, культу́рных людéй.

Подрéзывать, подрéзать КРЫЛЬЯ.
To clip somebody's wings.
Вéчная кри́тика егó рóдственников **подрéзала** ему́ **кры́лья.**

Расправля́ть, расправи́ть КРЫЛЬЯ.
To spread one's wings.
Мой сын Фёдор поéхал в свет **расправи́ть кры́лья.**

Канцеля́рская КРЫСА.
An office drudge, a pen-pusher.
Он считáет себя́ óчень вáжным в э́том

отделе́нии, а на са́мом де́ле явля́ется обы́чной **канцеля́рской кры́сой.**

Жить, прожи́ть под одно́й КРЫШЕЙ.
To live under one (or the same) roof.
Бра́тья Никола́евы **про́жили** бо́льшую часть свое́й жи́зни **под одно́й кры́шей.**

КТО куда́.
In all directions, each his own way.
По́сле собра́ния все разошли́сь, **кто куда́.**

Хоть КУДА́.
Couldn't be better.
Он (Тамбо́в) пре́жде го́род был опа́льный, тепе́рь же, пра́во, **хоть куда́.**
Лермонтов, Тамбовская казначейша.

За КУЛИ́САМИ.
Behind the scenes.
Перегово́ры держа́в вели́сь **за кули́сами.**

Возводи́ть, возвести́ в КУМИ́Р.
To idolize.
База́ров никогда́ не сде́лается фана́тиком, жрецо́м нау́ки, не **возведёт** её **в куми́р.**
Писарев, Базаров.

Попада́ть, попа́сть, как КУР во щи.
To be caught.
Я **попа́л, как кур во щи,** и я же ока́зываюсь винова́тым!
Чехов, Житейская мелочь.

КУ́РАМ на́ смех.
Enough to make a cat laugh.
Расска́зы о его́ похожде́ниях — про́сто **ку́рам на́ смех.**

Мо́края КУ́РИЦА.
Milksop, chicken-heart.
От рабо́чих он (Степа́н) слы́шал, что его́ оте́ц **мо́края ку́рица,** кото́рую мать его́ мо́жет загна́ть, куда́ уго́дно.
Решётников, Где лучше?

Жи́рный КУСО́К.
To have a good thing going for somebody.
Ивано́в был в долга́х по́ уши, а тепе́рь у него́ **жи́рный кусо́к.**

Ла́комый КУСО́К (*или* кусо́чек).
Titbit, dainty morsel.
Ведь е́сли, поло́жим, э́той де́вушке да прида́ть тысячо́нок две́сти прида́ного, из неё бы мог вы́йти о́чень, о́чень **ла́комый кусо́чек.**
Гоголь, Мёртвые души.

Ла́комый КУСО́ЧЕК.
см. Ла́комый КУСО́К.

Вали́ть, свали́ть всё в одну́ КУ́ЧУ.
To lump everything together.
Фабри́чный рабо́чий **свали́л** без разбо́ра **всё в одну́ ку́чу.**

Л

Быва́ть, быть не в ЛАДА́Х.
см. Быва́ть, быть не в ЛАДУ́.

В ЛАДА́Х.
см. В ЛАДУ́.

Ви́ден, видна́, ви́дно, видны́ как (*или* бу́дто) на ЛАДО́НИ.
To be spread before the eyes.
Из окна́ моее́й ко́мнаты о́зеро **ви́дно как на ладо́ни.**

Хло́пать в ЛАДО́ШИ.
To clap one's hands, to applaud.
Все слу́шали внима́тельно его́ речь и ча́сто **хло́пали в ладо́ши.**

Быва́ть, быть не в ЛАДУ́ (*или* не в лада́х) *с кем-л.*
To be at variance with somebody, to be at odds with somebody.
Ива́н со свои́м бра́том ве́чно **не в ладу́.**

В ЛАДУ́ (*или* в лада́х).
In harmony, in concord.
Когда́-то мы враждова́ли, а тепе́рь живём **в ладу́.**

Быть в ЛА́ПАХ *у кого-л.*
To be in somebody's clutches.
В 18-ом и 19-ом века́х ру́сские крестья́не **бы́ли в ла́пах** у поме́щиков.

Ходи́ть (*или* стоя́ть) на за́дних ЛА́ПКАХ *перед кем-л.*
To dance attendance upon somebody.
Пе́ред свои́м нача́льством он **хо́дит на за́дних ла́пках,** но к свои́м подчинённым он отно́сится свысока́.

Наложи́ть ЛА́ПУ *на что-л.*
см. Наложи́ть РУКУ *на что-л.*

На ЛБУ напи́сано.
It is obvious.
В нём произошла́ переме́на, э́то **на лбу напи́сано.**

ЛЕБЕЗИ́ТЬ.
To fawn upon, to cringe.
Они́ **лебези́ли** пе́ред нача́льством и льсти́ли унизи́тельно.

Разби́ть (*или* слома́ть) ЛЁД.
To break the ice, to make the first step, to start/begin/commence, to mark the beginning.
Входя́ впервы́е в дом Ни́льса, го́сти насторáживались, но хозя́ин уме́л бы́стро **разби́ть лёд,** и полчаса́ спустя́ приглашённые держа́ли себя́ непринуждённо.
Эренбург, Девятый вал.

ЛЕЖЕБО́К (*или* лежебо́ка).
Lie-abed, lazy-bones.
Эх, сын, **лежебо́к,** пора́ просну́ться, приня́ться за рабо́ту.

Как в ЛЕСУ́.
All at sea.
В но́вом зда́нии на́шего учрежде́ния я **как в лесу́.**

Ско́лько ЛЕТ, ско́лько зим!
It's ages since we met.
«**Ско́лько лет, ско́лько зим** не вида́лись!» — кри́кнула сия́ющая от ра́дости Юлька, броса́ясь мне на ше́ю.

Ба́бье ЛЕ́ТО.
Indian summer.
Стоя́ли я́сные дни **ба́бьего ле́та.**

Жива́я ЛЕ́ТОПИСЬ.
Living chronicle.
Григо́рий Никола́евич — **жива́я ле́топись.** Хо́чешь узна́ть, что случи́лось с твои́м де́душкой, спроси́ его́.

Хвата́ть (*или* схва́тывать, лови́ть) на ЛЕТУ́.
To be quick (to understand, to learn, etc.), to grasp quickly.
У меня́ бы́ли превосхо́дные спосо́бности и . . . я **схва́тывал** предме́ты **на лету́,** в кла́ссе, на переме́нах и получа́л отли́чные отме́тки.

Короленко,
История моего современника.

Вы́жатый ЛИМО́Н.
One who lost his strength, abilities.
Како́й я тала́нт? **Вы́жатый лимо́н,** сосу́лька.

Чехов, Лебединая песня.

Идти́, пойти́ по ЛИ́НИИ наиме́ньшего сопротивле́ния.
To take/follow the line of least resistance.
Нам не нужны́ лю́ди, кото́рые **иду́т по ли́нии наиме́ньшего сопротивле́ния.**

Обдира́ть, ободра́ть как ЛИ́ПКУ *кого-л.*
To fleece somebody.
Во́ры **ободра́ли как ли́пку** бога́того купца́.

Дрожа́ть как оси́новый ЛИСТ.
To tremble like an aspen leaf.
От стра́ха он **дрожа́л как оси́новый лист.**

С ЛИХВО́Й.
It is more than compensated, with interest.
Он верну́л ростовщику́ долг **с лихво́й.**

Не помина́ть ЛИ́ХОМ.
To think kindly.
Мне о́чень прия́тно рабо́талось с ва́ми, и жаль, что не могу́ продолжа́ть с ва́ми свое́й рабо́ты. Проща́йте и **не помина́йте** меня́ **ли́хом.**

Спасть с ЛИЦА́.
см. Спасть с ТЕ́ЛА.

Меня́ться (*или* измени́ться) в ЛИЦЕ́.
To blush.
Я заме́тил, что Еле́на, встреча́я бы́вшего жениха́, **меня́ется в лице́.**

На ЛИЦЕ́ напи́сан, напи́сана, напи́сано.
Reflected/obvious on one's face.
На лице́ её му́жа **напи́сана** доброта́.

Говори́ть, сказа́ть в ЛИЦО́.
To say to somebody's face.
Я всегда́ **говорю́** ему́ **в лицо́** пра́вду.

На одно́ ЛИЦО́.
As like as two peas in a pod.
Все сыновья́ у них **на одно́ лицо́,** и тру́дно отличи́ть одного́ от друго́го.

ЛИЦО́М к лицу́.
Face to face.
(Зи́на) стоя́ла бли́зко к бра́ту, **лицо́м к лицу́,** и он изуми́лся, что она́ так краси́ва.

Чехов, Соседи.

С ЛИ́ШКОМ.
More than.
Мы э́того не ку́пим: два́дцать рубле́й **с ли́шком.**

ЛО́ДЫРЯ гоня́ть.
To idle/loaf.
Он **ло́дыря гоня́ет,** а оте́ц совсе́м не обраща́ет на э́то внима́ния.

На ЛО́НЕ приро́ды.
On the lap of nature.
Я люблю́ проводи́ть кани́кулы **на ло́не приро́ды.**

Во все ЛОПА́ТКИ.
At full speed.
Васи́лий побежа́л **во все лопа́тки** позва́ть до́ктора.

ЛО́ПАТЬСЯ, ло́пнуть.
To go bankrupt, to cease to exist.
Два универса́льных магази́на **ло́пнули.**

Седо́й (*или* бе́лый) как ЛУНЬ.
Hoary with age, snow-white.
Он уже́ в во́зрасте тридцати́ пяти́ лет был **седо́й как лунь.**

Навостри́ть ЛЫ́ЖИ.
To take to one's heels.
Все смо́трят, где Анто́н Анто́нович, а он уж и **лы́жи навостри́л.**

Объясня́ться, объясни́ться в ЛЮБВИ́.
To make somebody a declaration of love.
Когда́ Пётр **объясни́лся** Со́не **в любви́,** ей бы́ло то́лько шестна́дцать лет.

ЛЮ́БО-до́рого.
It is a real pleasure.
Лю́бо-до́рого бы́ло ката́ться на саня́х.

ЛЮДЕ́Й посмотре́ть да себя́ показа́ть.
To see and be seen.
— О, и вы пришли́ на вечери́нку!

— Да. Пришёл **людей посмотреть да себя показать.**

Бывшие ЛЮДИ.

Have-beens.

Почти каждый день, возвращаясь с репортажа, учитель приносил с собой газету, и около него устраивалось общее собрание всех **бывших людей.** Они двигались к нему, выпившие или страдавшие с похмелья, разно растрёпанные, одинаково жалкие и грязные.

Горький, Бывшие люди.

Тянуть ЛЯМКУ.

To drudge, to toil.

Слишком десять лет **тянул** он **лямку** столоначальника, не имея в перспективе никакого повышения.

Салтыков-Щедрин, Приключение с Крамольниковым.

М

МАЛ мала меньше.

One smaller than the other.

Всех, **мал мала меньше,** было у деда десять человек детей.

Соколов-Микитов, Детство.

От МАЛА до велика.

Young and old.

Митрополита приветствовали все — **от мала до велика.**

По МАЛОСТИ.

Little, a little at a time.

Он ест **по малости,** но часто.

Что за МАНЕРА!

What a bad habit!

Миша, твои книги опять не на полке... пальто на кровати... **Что за манера!**

Ждать (*или* жаждать) как МАННЫ небесной.

To thirst.

Звание писаря мне уже опротивело и я **жаждал** свободы, **как манны небесной.**

В. Никитин, Многострадальные.

Идёт как по МАСЛУ.

Things are going smoothly.

«Как же вы устроились?» — «Хорошо. Нашёл работу, удобную квартиру, а теперь собираюсь жениться. Всё **идёт как по маслу».**

В (общей) МАССЕ.

In the bulk, in the mass.

Ученики этой школы **в массе** своей отличаются прилежностью и дисциплинированностью.

МАСТЕР на все руки.

см. ЧЕЛОВЕК на все руки.

МАТУШКИ (мои)!

Goodness gracious!

Матушки (мои)! Ой, ограбили нас.

Вылитая МАТЬ.

The very image of one's mother.

Она очень походила на Анну Андреевну, так что все родные говорили: «Надя **вылитая мать».**

Помяловский, Молотов.

Одним МАХОМ.

At one stroke, at one go, at a stretch.

(Оганесян) шагал непривычно быстро и одолел лестницу **одним махом.**

Казакевич, Весна на Одере.

В МГНОВЕНИЕ ока.

In the twinkling of an eye.

Подожди, я вернусь **в мгновение ока.**

МЕЖДУ нами (говоря).

Between ourselves, between you and me.

Между нами (говоря), Игорь не подходящий жених для Татьяны.

МЕНЕЕ всего.

Least of all.

Ростов приехал в Тильзит в день, **менее всего** удобный для ходатайства за Денисова.

Л. Толстой, Война и мир.

По меньшей МЕРЕ.

At least.

(Наталья Степановна:) Всё это, **по меньшей мере,** странно, Иван Васильевич!

Чехов, Предложение.

По МЕРЕ необходимости.

At need, as need arose.

Она бывала, **по мере необходимости,** его переписчицей, чтицей, репетиторшей и памятной книжкой.

Куприн, Куст сирени.

Врать, как сивый МЕРИН.

To lie like a trooper, to lie shamelessly.

В этом ресторане официант **врёт, как сивый мерин.**

Глуп (глупа), как сивый МЕРИН.

One is very stupid.

Обсуждать какой-нибудь вопрос с этим человеком не имеет смысла: он **глуп, как сивый мерин.**

МЕРСИ (*или* спасибо).

Thank you.

«Вы получили моё письмо?» — «Да. **Мерси».**

Знать МЕ́РУ.
To know when to stop, to know one's limits.
Дя́дя Ива́н, слу́шая расска́з своего́ племя́нника Са́ши о его́ охо́тничьих приключе́ниях, посме́ивался, бу́дто говоря́: **знай ме́ру,** голу́бчик!

Без МЕ́РЫ.
Immoderate.
С полсо́тни челове́к... е́ли и **без ме́ры** пи́ли вино́.
Чехов, Без заглавия.

Не находи́ть (себе́) МЕ́СТА.
To worry/fret (oneself), to suffer, to be on the rack.
Со́фья **не нахо́дит (себе́) ме́ста:** её сестра́, психи́чески больна́я же́нщина, ушла́ сейча́с по́сле за́втрака, и никто́ не зна́ет куда́.

Ни с МЕ́СТА.
Stock-still.
Пять ме́сяцев я здесь живу́, после́днее прожива́ю — а де́ло **ни с ме́ста!**
Сухово-Кобылин, Дело.

С МЕ́СТА в карье́р.
Straight away.
(Хозя́ин) пло́тно закры́л за собо́й дверь и **с ме́ста в карье́р** на́чал выкла́дывать свои́ но́вости.
Казакевич, Весна на Одере.

На ва́шем МЕ́СТЕ.
If I were you; if I were in your shoes.
На ва́шем ме́сте я не спо́рил бы с ней, а игнори́ровал бы её е́дкие замеча́ния.

Тёплое МЕСТЕ́ЧКО.
Snug/cushy job, lucrative/snug place of employment.
Васи́лий Петро́вич получи́л **тёплое месте́чко,** и ему́ тепе́рь хорошо́ живётся.

Больно́е МЕ́СТО.
Tender/soft spot.
Очеви́дно, э́то бы́ло **больно́е ме́сто,** и вопро́с э́тот занима́л всех дома́шних.
Л. Толстой, Хозяин и работник.

Знать своё МЕ́СТО.
To know one's place.
Серге́й **зна́ет своё ме́сто,** и э́то всем нра́вится.

Наси́женное МЕ́СТО.
A long occupied place, one's home of many years.
Она́ постаре́ла на де́сять лет, узна́вши, что должна́ поки́нуть **наси́женное ме́сто.**

Кро́вная МЕСТЬ.
Blood feud, vendetta.
Кро́вная месть продолжа́лась на Ко́рсике до неда́вних времён.

Медо́вый МЕ́СЯЦ.
Honeymoon.
Молодожёны верну́лись из Ита́лии, где провели́ **медо́вый ме́сяц.**

МЕЧ в но́жны вложи́ть.
To sheathe a sword.
Тепе́рь тако́е вре́мя наступа́ет, что нам с тобо́й до́лго **меч в но́жны вложи́ть** не уда́стся.
Саянов, Небо и земля.

Подня́ть (*или* обнажи́ть) МЕЧ.
To draw a sword.
В апре́ле 1939 г. Ги́тлер аннули́ровал догово́ры с По́льшей о ненападе́нии, а в сентябре́ **по́днял меч.**

Не МЕША́ЛО бы.
It would be advisable; it would not do any harm.
С ва́шим здоро́вьем вам **не меша́ло бы** обрати́ться к врачу́.

МЕ́ШКАТЬ.
To loiter/linger/delay.
За́втра конча́ется срок твоего́ о́тпуска, и тебе́ нельзя́ **ме́шкать** с отъе́здом.

Золото́й (*или* де́нежный) МЕШО́К.
Money-bag.
Вот, наприме́р, полко́вник Скалозу́б: и **золото́й мешо́к** и ме́тит в генера́лы.
Грибоедов, Горе от ума.

В оди́н МИГ.
In a twinkling, in a moment.
В кварти́ру Па́вла вкра́лся вор и **в оди́н миг** все це́нные ве́щи исче́зли.

Без МИЛОСЕ́РДИЯ.
Unmercifully.
В тюрьме́ его́ би́ли **без милосе́рдия.**

МИ́ЛОСТИ про́сим!
Welcome!
И оберну́вшись к гостя́м, она́ сказа́ла с приве́тливой улы́бкой: — **Ми́лости про́сим!**
Чехов, Дачники.

Скажи́(-те) на МИ́ЛОСТЬ (*или* скажи́(-те), пожа́луйста).
Tell me, please! (expressing surprise, confusion, indignation).
Скажи́ на ми́лость, где здесь вы́ход?

В МИНИАТЮ́РЕ.
In miniature.
Тури́сты называ́ли Варша́ву Пари́жем в **миниатю́ре.**

Прожи́точный МИ́НИМУМ.
Living wage, subsistence minimum, subsistence wage.
Лю́ди с **прожи́точным ми́нимумом** не мо́гут откла́дывать де́нег на чёрный день.

(Одну́) МИНУ́ТУ.
One minute.
Ми́тя вдруг вскочи́л со сту́ла. — **(Одну́) мину́ту,** господа́... Я сбе́гаю к ней.
Достоевский, Братья Карамазовы.

В (одну́) МИНУ́ТУ.
In no time, in an instant.
Мы зако́нчим на́ши дела́ **в (одну́) мину́ту.**

Сию́ МИНУ́ТУ (*или* секу́нду).
This very minute, instantly, at once.
Сию́ мину́ту сади́сь занима́ться.
Серафимович, Серёжа.

МИР пра́ху.
May one rest in peace.
Мир пра́ху ва́шему, геро́и, па́вшие в боя́х за свою́ ро́дину.

Отойти́ в ино́й МИР.
см. ПРИКАЗА́ТЬ до́лго жить.

Переверну́ть весь МИР (*или* свет).
To do something unusual/impossible.
Он свои́ми нереа́льными иде́ями хоте́л бы **переверну́ть весь мир.**

Не от МИ́РА сего́.
Out of this world.
Муж На́сти **не от ми́ра сего́,** и ей прихо́дится руководи́ть им и все́ми семе́йными дела́ми.

Одни́м МИ́РОМ ма́зан, ма́зана, ма́зано.
Cut from the same cloth.
Их семья́ **одни́м ми́ром ма́зана:** все сла́бого хара́ктера.

Мно́го (*или* высоко́) МНИТЬ.
Think too much of oneself.
Алекса́ндр, ты согла́сен со мной, что твой брат сли́шком **мно́го мнит** о себе́?

Ни МНО́ГО ни ма́ло.
No less than...
Сибира́ясь в доро́гу, он взял с собо́й **ни мно́го ни ма́ло:** две́сти рубле́й.

(Не) МОГУ́ похвали́ться (*или* похва́статься).
I (can't) can boast/brag.
Вы по́льзуетесь свои́м телеви́зором уже́ четы́ре го́да, и он никогда́ ещё не был испо́рчен, а я свои́м **не могу́ похвали́ться.**

Входи́ть, войти́ в МО́ДУ.
To come into fashion, to become fashion able.
Кра́сить во́лосы **вошло́ в мо́ду** в нача́ле двадца́того ве́ка.

Он, она́ и т. д. не МО́ЖЕТ разорва́ться.
He, she, etc., can't be everywhere at once.
У заве́дующего в четы́ре часа́ собра́ние профе́ссорско-преподава́тельского соста́ва, в четы́ре часа́ он до́лжен быть на собра́нии заве́дующих отделе́ниями и в четы́ре часа́ бу́дет о́чень интере́сный для него́ докла́д. Коне́чно, **он не мо́жет ра зорва́ться** и быть везде́.

МО́ЖЕШЬ себе́ предста́вить.
см. ПРЕДСТА́ВЬ(-те) себе́.

Наступи́ть на (люби́мую) МОЗО́ЛЬ.
To tread on someon's corn, to tread o somebody's pet corn.
Если не хо́чешь **наступи́ть** Ната́ше **н мозо́ль,** то не спра́шивай её, почему́ он не вы́шла за́муж за Юрия.

МОЛОДЕ́Ц к молодцу́.
Stalwart/sturdy/robust to a lad.
У него́ все сыновья́ — **молоде́ц к мо лодцу́.**

Не пе́рвой МО́ЛОДОСТИ.
Not in one's first youth.
Примадо́нна о́перы уже́ **не пе́рвой мо́ло дости,** но она́ всё ещё о́чень краси́ва.

Втора́я МО́ЛОДОСТЬ.
Rejuvenate.
У Миха́йла **втора́я мо́лодость.** Никто́ н ве́рит, что он дости́г ста́рческого во́з раста.

У него́ ещё МОЛОКО́ на губа́х не обсо́хл
He is too young; he is just a baby.
Молодо́й Си́доров, несмотря́ на то, что **него́ ещё молоко́ на губа́х не обсо́хл** стал управля́ющим дела́ми своего́ отц

Всоса́ть с МОЛОКО́М ма́тери.
To inherit.
Все свои́ благоро́дные чу́вства, все ду хо́вные и́стины он **всоса́л с молоко́м ма тери.**

Гробово́е МОЛЧА́НИЕ.
Death-like silence.
Когда́ профе́ссор чита́л ле́кцию, все сту де́нты погружа́лись в **гробово́е молча ние.**

Обходи́ть, обойти́ МОЛЧА́НИЕМ.
To pass by/over in silence.
Вы о́чень хорошо́ сде́лали, что **обошл** его́ вопро́с **молча́нием.**

Отплати́ть той же МОНЕ́ТОЙ .
To pay somebody in his own coin.
Он **отплати́л** ему́ **той же моне́той** за е злобное замеча́ние.

Принима́ть за чи́стую МОНЕ́ТУ.
To take at its face value, to take in a good faith.
Он ка́ждое печа́тное сло́во **принима́ет чи́стую моне́ту.**

МОРО́З по ко́же (*или* по спине́) подира́е
It makes one's flesh creep; it gives o goose-flesh/the shivers.
Когда́ вспомина́ю о том, что произош в Евро́пе во вре́мя войны́, у меня́ **мор подира́ет по ко́же.**

МО́ЧИ нет (*или* мо́чи не ста́ло).
One can't stand/endure it.
Здесь так жа́рко, что **мо́чи нет.**

Набить МОШНУ.
см. Набить КАРМАН.
Покрыт МРАКОМ неизвестности.
Shrouded in mystery.
Таинственный и неожиданный выезд Никитина из города **покрыт мраком неизвестности.**
Не МУДРЕНО, что...
No wonder that...
Она очень красивая девушка. **Не мудрено, что** Иван с первого взгляда влюбился в неё.
МУКА мученическая.
No end of trouble.
Он терпит **муку мученическую** от своего начальства.
МУКИ Тантала.
The torments of Tantalus, pangs of Tantalus.
Когда все гости сидели за богато убранным яствами и напитками столом, Николай переживал **муки Тантала:** доктор посадил его на строгую диету, и ему всего этого нельзя было есть.
МУРАШКИ бегают (*или* ползают и т. п.) по спине (*или* по телу и т. п.).
It makes one feel creepy all over; it gives one the shivers.
Нежданов даже в темноте почувствовал, что весь побледнел, и **мурашки забегали по** его **щекам**.
Тургенев, Новь.
Какая МУХА его укусила?
What is the matter with him? What is eating him?
Варя! Сегодня наш начальник очень сердит. Не знаешь ли, **какая муха его укусила?**
Он, она и МУХИ не обидит.
He, she would not hurt a fly.
Я не верю, что Миша его оскорбил: Миша благородный человек, **он** даже **и мухи не обидит.**
Задняя МЫСЛЬ.
Ulterior motive, secret purpose.
Сказал я это просто, без всякой **задней мысли.**
Погружён в МЫСЛЬ.
Deep in thought.
Узник сидит у окна и не шевельнётся. Он глубоко **погружён в мысль.**

Н

НАГОЛОДАТЬСЯ.
To be half starved.
Будучи во время войны в плену, он сильно **наголодался.**
Подавать, подать НАДЕЖДЫ.
To show promise.
Молодой пианист, приёмный сын Петровых, **подаёт** большие **надежды.**
Как НАЗЛО (*или* как нарочно).
As ill luck would have it.
Мы ждали поезда, но время **как назло,** тянулось бесконечно долго.
Так НАЗЫВАЕМЫЙ, называемая, называемое, называемые.
The so-called.
(Майков) прославился двумя **так называемыми** «комическими» поэмами.
Белинский, Сочинения А. Пушкина.
НАКОНЕЦ-то!
At least!
Наконец-то ты пришёл! А я уж думала, что ты совсем не придёшь.
С НАЛЁТА (*или* с наскока).
With a swoop.
Кавалерийский полк рубил **с налёта** шашками спасающегося бегством врага.
Без (всякого) НАМЕРЕНИЯ.
Without a definite purpose, unintentionally.
Не сердись, я всё это сказал **без (всякого) намерения.**
Между НАМИ (говоря).
Between ourselves, between you and me.
Между нами (говоря), он ей не пара.
НАПРАВО и налево.
Right and left.
(Бабушка) была очень добрая. Жила, во всём себя ограничивая, и помогала **направо и налево.**
Вересаев, В юные годы.
Как НАРОЧНО.
см. Как НАЗЛО.
Кричащий НАРЯД.
Loud, flashy clothes.
Тебе нравится новое платье Елены Алексеевны, а по-моему, это лишённый вкуса, **кричащий наряд.**
С НАСКОКА.
см. С НАЛЁТА.
НАСТРОЕНИЕ духа.
Mood, humour.
Мы застали Степана в весёлом **настроении духа.**
Быть не в НАСТРОЕНИИ.
To be in poor/low spirits, to be in a bad mood, to be out of sorts.
Сегодня я **не в настроении** идти в театр.

Под НАЧА́ЛОМ.
Under command.
Ты уме́л над Плато́ном шути́ть, так послужи́ у него́ **под нача́лом!**
А. Островский.
Правда — хорошо, а счастье лучше.

НАЧИНА́ТЬ, нача́ть (говори́ть) издалека́.
To begin from afar, to work up to something.
(Ва́ня) **начина́ет** говори́ть о нём — сперва́ осторо́жно, **издалека́.**
Каверин, Два капитана.

С НЕ́БА свали́ться (*или* упа́сть).
To fall from the moon.
Очень рад ви́деть тебя́... Но я удивлён... Ты то́чно **с не́ба свали́лась.**
Чехов, Скучная история.

Быть (*или* чу́вствовать себя́) на седьмо́м НЕ́БЕ.
To be in seventh heaven.
Он равноду́шен в её прису́тствии, тогда́ как друго́й бы **чу́вствовал себя́ на седьмо́м не́бе.**

Чёрная НЕБЛАГОДА́РНОСТЬ.
Black ingratitude.
Мой друг отплати́л мне **чёрной неблагода́рностью.**

НЕ́БО с овчи́нку показа́лось.
To be scared out of one's skin.
Услы́шав оглуши́тельный крик у вас в до́ме, я так испуга́лся, что **не́бо с овчи́нку показа́лось.**

Копти́ть НЕ́БО.
To waste one's life, to idle one's life away.
Он тепе́рь **не́бо копти́т,** живя́ в лени́вой пра́здности.

Отлича́ться как НЕ́БО от земли́ (*или* не́бо и земля́, земля́ и не́бо).
As heaven from earth.
Мари́я Петро́вна и её муж — э́то **не́бо и земля́.**

С НЕБОЛЬШИ́М.
Odd, a little over.
У ста́рого Петро́ва молода́я жена́: ей всего́ лет два́дцать **с небольши́м.**

Ме́жду НЕ́БОМ и землёй.
Between heaven and earth.
Они́ **ме́жду не́бом и землёй:** всё ещё не обосновáлись в э́том го́роде.

В блаже́нном НЕВЕ́ДЕНИИ.
To be blissfully ignorant.
Его́ оте́ц был скры́тен и держа́л Алексе́я **в блаже́нном неве́дении** относи́тельно дел.

До НЕВЕРОЯ́ТИЯ.
см. До НЕВЕРОЯ́ТНОСТИ.

До НЕВЕРОЯ́ТНОСТИ (*или* до невероя́тия).
To an unbelievable extent.
Це́ны на моло́чные проду́кты подняли́сь **до невероя́тности.**

До НЕВОЗМО́ЖНОСТИ.
To the last degree.
Она́ надое́ла мне **до невозмо́жности.**

Прийти́ в НЕГОДОВА́НИЕ.
To become indignant.
Пле́нный **пришёл в негодова́ние,** когда ему́ на́чали задава́ть вопро́сы о его про́шлой жи́зни.

Э́того (ещё, то́лько) НЕДОСТАВА́ЛО, недостаёт.
That would be the limit! That would be the last straw!
Ми́тя, увида́в своё запа́чканное кро́вью лицо́, вздро́гнул и гне́вно нахму́рился. — Э, чёрт! — **Э́того недостава́ло** — пробормота́л он.
Достоевский, Братья Карамазовы.

Ника́к НЕЛЬЗЯ́.
It is quite impossible.
«**Ника́к нельзя́** употребля́ть таки́е выраже́ния», — сказа́л оте́ц.

Впасть в НЕМИ́ЛОСТЬ.
To fall into disgrace.
Всле́дствие интри́г колле́г он **впал в неми́лость** своего́ нача́льника.

НЕМНО́ГО погодя́.
After a while.
Немно́го погодя́ его́ позва́ли к господа́м.
Чехов, Лошадиная фамилия.

Игра́ть на НЕ́РВАХ.
To make one nervous.
У него́ проти́вная привы́чка **игра́ть на не́рвах** други́х люде́й.

На НЕСЧА́СТЬЕ.
см. К НЕСЧА́СТЬЮ.

К НЕСЧА́СТЬЮ (*или* на несча́стье) (вводн. сл.).
Unfortunately.
Мне хоте́лось зайти́ в рестора́н. **К несча́стью,** у меня́ не́ было де́нег.

Ника́к НЕТ.
Definitely no.
«Уезжа́ешь?» — «**Ника́к нет**».

По НЕЧА́ЯННОСТИ.
Accidentally, inadvertently.
Ми́ша **по неча́янности** разорва́л письмо.

Шит, шита́, ши́то, ши́ты бе́лыми НИ́ТКАМИ.
Something is easily seen through, something is very thin.
Его́ не́нависть и предрассу́док **ши́ты бе́лыми ни́тками.**

До (после́дней) НИ́ТКИ.
Entirely, completely.
Когда Григо́рий уезжа́л, он не обраща́

внимания на предупреждения, что у него всё **до (последней) нитки** растащат.

Обобрать до (последней) НИТКИ.
To strip somebody of everything.
Воры-взломщики **обобрали** моего соседа **до нитки.**

Промокнуть до НИТКИ.
To get soaked to the skin.
Вчера дождь лил как из ведра и я **промок до нитки.**

На живую НИТКУ.
Hastily, anyhow.
Она сшила себе домашнее платье **на живую нитку.**

Висеть (*или* держаться) на НИТОЧКЕ.
см. Висеть на ВОЛОСКЕ.

Ходить по НИТОЧКЕ.
To be reduced to servile obedience.
Я сама была помещица; у меня такие-то, как ты, пикнуть не смели, **по ниточке ходили.**
А. Островский, Воспитанница.

НИЧЕГО себе.
So-so, middling.
— Как вам нравится жених Нади?
— **Ничего себе.**

В НОВИНКУ.
Novelty.
Моему брату уже надоело летать в Москву, а мне это **в новинку.**

Это что (ещё) за НОВОСТИ! (*или* вот ещё новости!).
That is somethig new!
Это что за новости! Ты плакать ещё! Чтобы этих слёз не было!
А. Островский, Воспитанница.

НОГ под собой не чувствовать (от радости).
To be beside oneself with joy, to be transported with joy.
Завтра у дочери господ Боярских будет свадьба. Родители и дочь от радости **ног под собой не чувствуют.**

Валиться, повалиться с НОГ.
To be falling off one's feet, to feel very tired.
Пётр, возвращаясь с ночной работы, **валится с ног** от усталости.

Нестись со всех НОГ.
To run as fast as one can.
Мальчики испугались в лесу зверя и **неслись со всех ног** домой.

Вверх НОГАМИ.
Head over heels, upside down.
Сегодня всё шло **вверх ногами.**
Голубов, Багратион.

Валяться в НОГАХ.
To prostrate oneself before somebody, to fall down at somebody's feet.
По улицам нищие **валяются в ногах** у прохожих, моля о милостыне.

Быть (*или* находиться) на короткой НОГЕ *с кем-л.*
To be well in with somebody, to be on friendly terms with somebody.
Чижиков **находился** уже с Аннушкой **на короткой** приятельской **ноге.**

Встать с левой НОГИ.
To get out of bed on the wrong side.
Серёжа, видя мрачное настроение отца, сказал сестре: лучше уйдём, видно, папа **встал** сегодня **с левой ноги.**

Еле волочить НОГИ.
To be dead-beat, to be hardly able to drag one's legs along.
Он вчера лазил по горам, а сегодня **еле волочит ноги** от усталости.

Лизать НОГИ *кому-л.*
см. Лизать РУКИ *кому-л.*

Переминаться с НОГИ на ногу.
To shift from one foot to the other.
Петя смотрел на учителя и в смущении **переминался с ноги на ногу.**

Ставить, поставить (*или* поднять) на НОГИ.
1. To set somebody on his feet.
2. To give somebody a start in life.
1. Наш домашний врач в три дня **поставил на ноги** моего брата.
2. Часто, по-видимому, отцом овладевало отчаяние, что он не сможет сам **поставить на ноги** всех детей.
Вересаев, В юные годы.

Жить на барскую НОГУ.
To live in grand style.
Они смолоду привыкли к бездействию и к полному угождению потребностям: так и теперь **живут на барскую ногу,** не имея соответствующих средств к этому.

Идти в НОГУ.
To keep step/pace, to keep abreast.
Он всегда **шёл в ногу** с современностью.

На босу НОГУ.
On bare feet, on one's bare feet.
Уля быстро сбросила туфли, надетые **на босу ногу,** и смело вошла в воду.
Фадеев, Молодая гвардия.

На широкую НОГУ.
см. На широкую РУКУ.

НОЖ острый.
To pester somebody, to worry the life of somebody.
Он злобный человек: его каждое слово — **нож острый** тому, кого он ненавидит.

Без НОЖА зарезать.
To kill without a knife.
Обложением больших налогов меня **без ножа зарезали.**

Быть на НОЖА́Х.
To be at dagger points, to be at sword's points.
Две сосе́дние дере́вни **бы́ли на ножа́х,** спо́ря о па́стбище для скота́.

(А он) НОЛЬ (*или* нуль) внима́ния.
(He) does not care a fig; (he) couldn't care less.
Григо́рий в теа́тре смотре́л на свою́ возлю́бленную, а на сце́ну — **ноль внима́ния.**

Этот НО́МЕР не пройдёт.
That trick won't work here; you can't get away with that!
По́мни! Второ́й раз **э́тот но́мер не пройдёт.**

Войти́ (*или* прийти́) в НО́РМУ.
To return to normal.
Психиа́тры призна́ли, что Лео́нтий **пришёл в но́рму.**

С НО́РОВОМ.
Obstinate, capricious.
Ты **с но́ровом,** тебе́ не угоди́шь!
А. Островский, Василиса Мелентьева.

НОС к но́су.
To meet head-on, to meet face to face.
Охо́тники встре́тили медве́дя **нос к но́су.**

Води́ть за НОС.
To fool somebody, to make a fool of somebody.
Хи́трый Пётр **во́дит за нос** наи́вного Никола́я Васи́льевича.

Держа́ть НОС по ве́тру.
To trim one's sails to the wind.
Наско́лько я Ива́на зна́ю, он беспринци́пный челове́к; поня́тно, почему́ он **де́ржит нос по ве́тру.**

Задира́ть, задра́ть НОС.
To turn up one's nose, to put on airs.
По́сле уда́чного дебю́та балери́на ста́ла **задира́ть нос.**

Пове́сить НОС на кви́нту.
To look dejected.
Он **пове́сил нос на кви́нту,** когда́ узна́л о необходи́мости своего́ отъе́зда.

Утере́ть НОС *кому-л.*
To get the better of somebody, to nonplus a person, to show a person his ignorance, to mortify a person.
Во вре́мя инспе́кции дире́ктор департа́мента **утёр нос** нача́льнику отделе́ния.

Клева́ть НО́СОМ.
To nod, to be drowsy.
Семиле́тний Ва́ня смотре́л неинтере́сную телевизио́нную переда́чу и на́чал **клева́ть но́сом.**

Не каза́ть НО́СУ.
см. Не каза́ть ГЛАЗ.

Как по НО́ТАМ.
Like clockwork.
Всё, что он де́лает, выхо́дит отли́чно, **как по но́там.**

НОЧЁВКА.
Overnight, spending/passing the night.
Не́которые охо́тники останови́лись для **ночёвки** в лесу́.

Поко́йной (*или* споко́йной) НО́ЧИ.
Good night.
Как обы́чно, в де́вять часо́в ве́чера мать вошла́ в де́тскую пожела́ть де́тям **поко́йной но́чи.**

На́ НОЧЬ гля́дя.
At this/that time of night.
Это вы куда́ собрали́сь, **на́ ночь гля́дя?**
Горький, Старик.

ПО НРА́ВУ.
To please.
Но́вая рабо́та пришла́сь ей **по нра́ву.**

НУЖДЫ нет.
Never mind.
— Сосе́душка, я сыт по го́рло.
— **Нужды́ нет,** ещё таре́лочку.
Крылов, Демьянова уха.

Своди́ть, свести́ к НУЛЮ́.
To bring to nought/nothing.
По́сле револю́ции ру́сскую аристокра́тию **свели́ к нулю́.**

Не НЫНЧЕ (*или* не сего́дня) — за́втра.
Very soon, any day now.
— Я убеждён, — вмеша́лся глухи́м го́лосом Нежда́нов, — что **не ны́нче — за́втра** господи́н Сипя́гин мне сам отка́жет от до́ма.
Тургенев, Новь.

Соба́чий НЮХ.
A dog's sense of smell.
Сме́нщик я́вится, непреме́нно утащит во́дку; уж у него́ **нюх соба́чий.**
Серафимович, Стрелочник.

О

Сдержа́ть ОБЕЩА́НИЕ.
см. Сдержа́ть СЛО́ВО.

Не дать в ОБИ́ДУ.
To be able to stand up for somebody.
Това́рищи по шко́льной скамье́ **не даду́т** меня́ **в оби́ду.**

Без ОБИНЯКО́В.
In plain terms.
Дава́йте поговори́м **без обиняко́в.**

Уноси́ться в ОБЛАКА́.
см. Быть в ОБЛАКА́Х.

Быть (*или* вита́ть) в ОБЛАКА́Х (*или* уноси́ться в облака́).
To be up in the clouds, to go woolgathering.
Ва́ня, дово́льно **вита́ть в облака́х,** возьми́сь за серьёзную рабо́ту.

Как с ОБЛАКО́В.
Like a bolt from the blue.
Три го́да мы не зна́ли, где он, и вдруг он нагря́нул, **как с облако́в.**

Па́дать, пасть, упа́сть в О́БМОРОК.
To faint/swoon.
Еле́на, узна́в, что её брат поги́б в автомоби́льной катастро́фе, **упа́ла в о́бморок,** кото́рый продолжа́лся не́сколько мину́т.

Брать, взять *кого-л.* в ОБОРО́Т.
см. Брать, взять *кого-л.* в ОБРАБО́ТКУ.

Брать, взять *кого-л.* в ОБРАБО́ТКУ. (*или* оборо́т).
To get at somebody, to take somebody to task.
Они́ **взя́ли в обрабо́тку** Ива́на, что́бы склони́ть его́ на свою́ сто́рону.

О́БРАЗ жи́зни.
Way/mode of life (living).
Он уже́ привы́к к америка́нскому **о́бразу жи́зни.**

Таки́м О́БРАЗОМ.
Thus, in that way.
Геро́й наш расплати́лся с изво́зчиком и, **таки́м о́бразом,** изба́вился, наконе́ц, от своего́ экипа́жа.
Достоевский, Двойник.

В ОБРЕ́З.
Only just enough.
Вре́мени у меня́, как вы са́ми понима́ете, **в обре́з:** че́рез не́сколько часо́в на́до вылета́ть обра́тно.
Саянов, Небо и земля.

Смотря́ (*или* гля́дя) по ОБСТОЯ́ТЕЛЬСТВАМ.
It depends.
— Ты, зна́чит, хо́чешь предприня́ть э́то иссле́дование. Но, любопы́тно, как ты э́то устро́ишь.
— Я ещё не зна́ю, решу́ **смотря́ по обстоя́тельствам.**

Брать, взять под ОБСТРЕ́Л.
To criticize severely.
Театра́льный кри́тик **взял под обстре́л** примадо́нну о́перы.

В ОБТЯ́ЖКУ.
Close fitting.
Кавалери́сты носи́ли рейту́зы **в обтя́жку.**

Как (*или* то́чно, бу́дто) О́БУХОМ по голове́ (уда́рить).
To be thunderstruck.
Эти изве́стия меня́ **как о́бухом по голове́ (уда́рили).**

Враща́ться в О́БЩЕСТВЕ.
см. Враща́ться в КРУГУ́.

Пуска́ться, пусти́ться в ОБЪЯСНЕ́НИЯ.
To go into an explanation.
Офице́р, ду́мая, что он оши́бся, **пусти́лся в объясне́ния.**
Пушкин, Выстрел.

По ОБЫКНОВЕ́НИЮ.
As usual, habitually, customarily.
Он **по обыкнове́нию** чита́ет по ноча́м.

Про́тив ОБЫКНОВЕ́НИЯ.
Contrary to one's habit.
Илья́ Ильи́ч просну́лся, **про́тив обыкнове́ния,** о́чень ра́но, часо́в в во́семь.
Гончаров, Обломов.

Бо́льше (*или* бо́лее) ОБЫКНОВЕ́ННОГО.
More than usual.
Мы бы́ли вчера́ в теа́тре; игра́ арти́стки понра́вилась нам **бо́лее обыкнове́нного.**

Вменя́ть, вмени́ть в ОБЯ́ЗАННОСТЬ.
To impose an obligation of doing something.
Мне **вмени́ли в обя́занность** дава́ть ей материа́льную подде́ржку,

Я полага́ю свое́ю ОБЯ́ЗАННОСТЬЮ.
I consider it my duty.
Я полага́ю свое́ю обя́занностью сказа́ть вам, госпожа́ Бра́ун, что ваш сын не́ был вчера́ в шко́ле, а гуля́л в па́рке.

Прики́дываться, прики́нуться ОВЕ́ЧКОЙ.
To pretend to be innocent.
Не **прики́дывайся ове́чкой:** я зна́ю, что э́то твоя́ вина́.

Без ОГЛЯ́ДКИ.
1. **Without turning one's head, to show a clean pair of heels.**
2. **Without care/caution.**
1. «Па́вел, куда он так бежи́т **без огля́дки?»** — «Бог его́ зна́ет».
2. Я **без огля́дки** де́ла не сде́лаю.
А. Островский. Не от мира сего.

В ОГО́НЬ и в во́ду (гото́в, гото́ва; пойду́ и т. п.).
To go through fire and water, to go through thick and thin.
Она́ за тебя́ **в ого́нь и в во́ду** гото́ва. Она́ сейча́с за тебя́ хоте́ла поже́ртвовать всем свои́м состоя́нием.
А. Островский, Не от мира сего.

Раскла́дывать, разложи́ть ОГО́НЬ (*или* костёр).
To make/build a fire.
Бойска́уты **разложи́ли** в лесу́ **ого́нь.**

ОДИ́Н на оди́н.
In private, privately, face to face.
Он лю́бит поговори́ть со мной **оди́н на оди́н** о свои́х дела́х.

ОДИНЁХОНЕК.
см. ОДИ́Н-одинёшенек.

ОДИ́Н-одинёшенек (*или* одинёхонек), одна́ одинёшенька.
Quite alone.
Ей уже́ представля́лось, как она́ оста́нется **одна́-одинёшенька** в чужо́й семье́.
Мамин-Сибиряк, Ночь.

В ОДИНО́ЧКУ.
Singly.
На войне́ разве́дчики ча́сто де́йствуют **в одино́чку.**

Сде́лать ОДОЛЖЕ́НИЕ.
To do a favor.
Оста́вьте меня́ в поко́е! Не му́чайте меня́! Отста́ньте от меня́, наконе́ц, **сде́лайте одолже́ние!**
Чехов, Дамы.

На сме́ртном ОДРЕ́.
On one's death-bed.
Бу́дучи **на сме́ртном одре́,** она́ поручи́ла мне свою́ до́чку.

В ОЗНАМЕНОВА́НИЕ.
To mark the occasion, on the occasion, in commemoration.
В 1945-ом году́ происходи́ли пра́зднества **в ознаменова́ние** побе́ды над Ги́тлером.

Без ОКОЛИ́ЧНОСТЕЙ.
Plainly/straight.
(Б.) сказа́л **без околи́чностей,** что де́нег ему́ не даст, потому́ что он их пропьёт.
Достоевский, Неточка Незванова.

В ОКРУЖЕ́НИИ.
Together with, accompanied by.
В день своего́ рожде́ния де́душка сиде́л **в окруже́нии** ро́дственников и бли́зких друзе́й.

Вон ОНО́ что! (*или* вон оно́ как!).
So that's it!
— Семья́-то больша́я, да два челове́ка. Всего́ мужико́в-то: оте́ц мой да я ... — Так **вон оно́ что!**
Н. Некрасов, Крестьянские дети.

ОПЯ́ТЬ-таки.
But again, besides.
Я вам **опя́ть-таки** до́лжен повтори́ть, что я вас не зна́ю.
Тургенев, Гамлет Щигровского уезда,

Положи́ть ОРУ́ЖИЕ.
To lay down arms, to surrender.
Восста́ние ко́нчилось неуда́чей. Повста́нцы **положи́ли ору́жие.**

Бряца́ть ОРУ́ЖИЕМ.
To rattle the saber, the rattling of the saber.
Бряца́ть ору́жием — это вызыва́ть возмо́жность вое́нного конфли́кта.

Золота́я О́СЕНЬ.
Indian summer.
День станови́лся коро́че, наста́ла **золота́я о́сень.**

Набива́ть, наби́ть ОСКО́МИНУ.
To set one's teeth on edge.
Это его́ привы́чка: прийти́ с разгово́рами, то́лько **набива́ть оско́мину.**

На ОСНОВА́НИИ.
On the grounds.
Я не в состоя́нии отказа́ть челове́ку **на основа́нии** одни́х то́лько предположе́ний
Чехов, Дуэль

До ОСНОВА́НИЯ.
To the ground, entirely, completely.
Эта но́вость потрясла́ меня́ **до основа́ния.**

На ОСНО́ВЕ.
On the basis.
Она́ в душе́ горди́лась, что воспита́ла сы́на **на осно́ве** взаи́много уваже́ния.
Федин, Первые радости

Не ОСО́БЕННО.
Not particularly.
Еле́на, ты сего́дня **не осо́бенно** хорошо́ вы́глядишь.

В ОСО́БЕННОСТИ.
Especially, in particular.
Во вся́ком слу́чае, сын отцу́ не судья́, и **в осо́бенности** я.
Тургенев, Отцы и дети

ОСТАВЛЯ́ЕТ жела́ть мно́гого (*или* лу́чшего).
It leaves much to be desired.
Прое́кт постро́йки спорти́вного стадио́на **оставля́ет жела́ть мно́гого.**

Ни пе́ред чем не ОСТАНА́ВЛИВАТЬСЯ, останови́ться.
To stop at nothing.
Для достиже́ния свое́й це́ли он **ни пе́ред чем не остана́вливается.**

Хоть ОТБАВЛЯ́Й.
More than enough, more than one knows what to do with.
Самолю́бия у Ма́мочкина бы́ло **хоть отбавля́й.**
Казакевич, Звезда.

ОТБРО́СЫ о́бщества.
Dregs of society, scum of society.
В э́том тракти́ре собира́ются то́лько **отбро́сы о́бщества.**

Сказа́ть в ОТВЕ́Т.
To answer.
Ива́н Евсе́ич ту́по погляде́л на до́ктора, как-то ди́ко улыбну́лся и, не **сказа́в в**

отве́т ни сло́ва, всплесну́в рука́ми, побежа́л к уса́дьбе . . .
Чехов, Лошадиная фамилия.

Нести́ ОТВЕ́ТСТВЕННОСТЬ.
To bear responsibility.
Команди́р **несёт** по́лную **отве́тственность** за возло́женную на него́ боеву́ю подгото́вку полка́.

В ОТДАЛЕ́НИИ.
In the distance.
В отдале́нии видне́лся дом мои́х роди́телей.

ОТДА́ТЬ за́муж *за*.
см. ВЫДАТЬ за́муж *за*.

Без ОТДА́ЧИ.
For good.
(Анато́ль), очеви́дно **без отда́чи,** занима́л (де́ньги) у встре́чного и попере́чного.
Л. Толстой, Война и мир.

Избе́гаться на ОТДЕ́ЛКУ.
To be completely exhausted, to run oneself ragged.
Я вот с утра́ уж пришла́. **Избе́галась на отде́лку.**
П. Романов, Слабое сердце.

В ОТДЕ́ЛЬНОСТИ.
Taken separately.
— Са́мое лу́чшее, по-мо́ему, — э́то объясня́ть ка́ждый слу́чай **в отде́льности,** не пыта́ясь обобща́ть.
Чехов, О любви.

Вы́литый ОТЕ́Ц.
Image of one's father.
Сын Ивано́вых, Пе́тя, са́мый мла́дший из трёх бра́тьев — **вы́литый оте́ц.**

Отве́тить ОТКА́ЗОМ.
To give a negative reply.
На предложе́ние вы́рвать больно́й зуб, генера́л **отве́тил отка́зом.**
Чехов, Лошадиная фамилия.

Быть в бли́зких ОТНОШЕ́НИЯХ.
To be on terms of intimacy, to be intimate with somebody.
В про́шлом мои́ роди́тели бы́ли с Петро́выми **в бли́зких отноше́ниях.**

ОТПРАВЛЯ́ТЬСЯ, отпра́виться (*или* идти́) на бокову́ю.
To take a nap.
Чу́вствуя утомле́ние, он пообе́дал и **отпра́вился на бокову́ю.**

О́ТРОДУ.
Never in one's life, never in one's born days.
А у нас, пове́рите ли? — он **о́троду** ли́шней копе́йки не взял.
Тургенев, Отцы и дети.

ОТЦЫ́ и де́ды.
Forefathers.
Отцы́ и де́ды не глупе́е нас бы́ли.
Гончаров, Обломов.

Впада́ть, впасть в ОТЧА́ЯНИЕ.
To give up, to despair.
Мать **впа́ла в отча́яние,** получи́в све́дения о неизлечи́мой боле́зни свое́й до́чери.

ОХО́ТНИК *до чего-л.*
One who is very fond of something.
До во́дки (он) о́чень **охо́тник.**
Чехов, Лошадиная фамилия.

Сквозь ро́зовые ОЧКИ́ смотре́ть.
To see through rose-colored spectacles/glasses.
Еле́на **смо́трит сквозь ро́зовые очки́** на своего́ жениха́ и не замеча́ет его́ недоста́тков.

П

ПА.
Pas/step.
В то вре́мя вальс танцева́ли не в три, а в два **па,** — э́то дава́ло о́чень бы́строе круже́ние.
Вересаев, В юные годы.

Ни ПА́ВА ни воро́на.
Neither peacock nor crow, neither fish nor fowl.
Малообразо́ванная, но бога́тая Ни́на Серге́евна Бе́глая вы́шла за́муж за высокообразо́ванного писа́теля, и тепе́рь она́ **ни па́ва ни воро́на.**

ПА́ВОЙ.
Smoothly and gracefully, like a peacock.
(Лео́н) заигра́л: «Во саду́ ли, в огоро́де». Ду́ня **па́вой** поплыла́ по каза́рме, слегка́ пока́чивая бёдрами и ме́лко прито́пывая каблука́ми.
Соколов, Искры.

Пусти́ть ПАЛ (*или* палы́).
To set fire to grass in steppes.
Колхо́зники **пусти́ли палы́ . . .** степь залила́сь пла́менным пото́ком. Сгора́ли дотла́ бурья́н и со́рные тра́вы.
Шишков, Прокормим!

ПА́ЛЕЦ о па́лец не уда́рить.
Not to stir a finger.
Мать больна́, оте́ц не верну́лся с войны́ а сын **па́лец о па́лец не уда́рит,** чтоб помо́чь свое́й ма́тери.

ПА́ЛКА о двух конца́х.
Two-edged/double-edged weapon.
Неприя́тель за́нял чужу́ю террито́рию и пресле́дует живу́щий на ней наро́д, забыва́я, что пресле́дование — э́то **па́лка о двух конца́х.**

Как ПА́ЛКА.
Like a stick (talking of a tall and skinny person).
Анто́н Афана́сиевич верну́лся из пле́на. Вы́глядит **как па́лка.**

Вставля́ть, вста́вить (*или* ста́вить, поста́вить; броса́ть, бро́сить) ПА́ЛКИ в колёса.
To put a spoke in somebody's wheel, to disturb, to hinder.
Собра́ние ко́нчилось неуда́чей. Джон Бра́ун, по своему́ обыкнове́нию, **вста́вил па́лки в колёса.**

Перегну́ть ПА́ЛКУ.
To go too far.
«Слу́шай, Ма́ша. Наш сын ужа́сный лентя́й. Ничего́ не де́лает, то́лько уха́живает за де́вушками». — «Нет, Па́вел. Это ты уже́ **перегну́л па́лку**».

С ПОЛУСЛО́ВА (поня́ть).
To be quick on the uptake, to catch the meaning at once.
Когда́ На́стя заговори́ла, Па́вел по́нял её **с полусло́ва.**

Пусти́ть ПАЛЫ.
см. Пусти́ть ПАЛ.

ПА́ЛЬЦА в рот не клади́ *кому-л.*
One is not to be trifled.
«Ты на́чал с ним э́то делово́е предприя́тие, но по́мни, ему́ **па́льца в рот не клади́**», — остерега́ла Ва́ря своего́ му́жа.

Вы́сосать из ПА́ЛЬЦА.
To make up, to fabricate.
Говори́ли, что он уе́хал за грани́цу и оста́вил семью́, но ока́зывается, что всё э́то **вы́сосано из па́льца.**

По ПА́ЛЬЦАМ мо́жно пересчита́ть (*или* перече́сть).
It can be counted on the fingers of one hand.
Смотри́, Ма́ша, как ма́ло сего́дня люде́й в кино́! **По па́льцам мо́жно перече́сть.**

Знать как свой пять ПА́ЛЬЦЕВ.
To have something at one's finger-tips.
Нет смы́сла расска́зывать му́жу об э́том: он всё э́то **знае́т как свой пять па́льцев.**

ПА́ЛЬЦЕМ не дви́гать, не дви́нуть (*или* не шевели́ть, не шевельну́ть).
Not to make any effort.
У вас хоро́шее жела́ние, но вы **па́льцем не шевельнёте,** что́бы привести́ его́ в исполне́ние.

ПА́ЛЬЦЕМ не тро́нуть.
Not to hurt a fly.
«Говоря́т, что её уби́л Серёжа». — «Бог с ва́ми! Ра́зве э́то мо́жет быть! Ведь ка́ждый зна́ет Серёжу: он **па́льцем** никого́ **не тро́нет**».

Пока́зывать *на кого-л.* ПА́ЛЬЦЕМ (*или* па́льцами).
To point an accusing finger at someone.
Его́ вы́пустили из тюрьмы́, но ему́ ка́жется, что всё-таки ещё до́лго бу́дут **пока́зывать** на него́ **па́льцем.**

Попада́ть, попа́сть ПА́ЛЬЦЕМ в не́бо.
To be wide off the mark, to have/take the wrong sow by the ear.
Вы **попа́ли па́льцем в не́бо,** когда́ спроси́ли, не от те́нниса ли у меня́ так ра́звиты му́скулы.

Плыть сквозь ПА́ЛЬЦЫ.
To be quickly spent/expended.
Ско́лько б я ни зарабо́тал, все де́ньги бу́дто **плыву́т сквозь па́льцы.**

Смотре́ть сквозь ПА́ЛЬЦЫ.
To look through one's fingers at something, to disregard something.
Мать, хотя́ и зна́ла, что сын не у́чится, **смотре́ла** на э́то **сквозь па́льцы.**

Вы́пустить из ПА́МЯТИ.
To forget something.
Ита́к, ребя́та, я рассказа́л вам мно́го об у́жасах после́дней войны́; мно́го, но не всё, так как мно́го **вы́пустил из па́мяти.**

Полюби́ть без ПА́МЯТИ.
To be head over heels in love with somebody.
Ка́тя дове́рчиво посма́тривала вокру́г себя́, и мо́жно бы́ло заме́тить, что Никола́й Петро́вич успе́л уже́ **полюби́ть** её **без па́мяти.**
Тургенев, Отцы и дети.

Поры́ться в ПА́МЯТИ.
To search in one's memory.
— Не могу вспо́мнить, профе́ссор, в како́м году́ произошло́ э́то собы́тие.
— Ну, на́до **поры́ться в па́мяти.**

Ве́чная ПА́МЯТЬ *кому-л.*
May one's memory live forever.
В Бе́верли Хиллс от серде́чного припа́дка сконча́лся знамени́тый дирижёр Бру́но Ва́льтер, 85 лет. **Ве́чная** ему́ **па́мять!**

Дыря́вая (*или* кури́ная) ПА́МЯТЬ (*или* дыря́вая голова́).
A short memory.
Степа́н Алексе́евич вы́держал экза́мен по исто́рии в про́шлом году́, зна́чит не так давно́, а сейча́с он уже́ почти́ ничего́ не по́мнит: у него́ **дыря́вая па́мять.**

Прийти́ на ПА́МЯТЬ.
To recall.
Когда́ Ма́ша написа́ла му́жу письмо́ и собира́лась уже́ опусти́ть его́ в почто́вый я́щик, ей **пришло́ на па́мять,** что она́ ничего́ не написа́ла о сы́не. Ма́ша откры́ла письмо́ и дописа́ла не́сколько слов.

Ли́бо ПАН, ли́бо пропа́л.
Neck or nothing, all or nothing at all.
— Мой друг, э́то ж опа́сное предприя́тие! Я не сове́тую тебе́ принима́ться за э́то де́ло.
— Ну, что ж . . . **ли́бо пан, ли́бо пропа́л.**

ПАНИБРА́ТСТВО.
Familiarity, high-handed treatment of somebody.
Панибра́тство офице́ра не понра́вилось гра́фу.

Сбить с ПАНТАЛЫКУ.
To confuse somebody.
Вы меня́ совсе́м **сби́ли с панталы́ку.**

Сби́ться с ПАНТАЛЫКУ.
1. To be confused.
2. To go astray.
1. Дава́йте обсужда́ть вопро́с за вопро́сом, что́бы не **сби́ться с панталы́ку.**
2. Говоря́т, что э́та несча́стная вдова́ **сби́лась с панталы́ку.**

ПА́РА пустяко́в.
Accomplishment of something is a mere trifle.
До го́рода не так далеко́, пять-шесть киломе́тров. Для ста́рых, о́пытных путеше́ственников э́то **па́ра пустяко́в.**
Катаев, За власть Советов.

Быть в по́лном ПАРА́ДЕ.
To be in full dress.
Серге́й Степа́нович **был в по́лном пара́де** и с нетерпе́нием ждал приглашённых ро́дственников и друзе́й.

Под ПАРА́МИ.
To be ready to start.
Дава́йте войдём в ваго́н: парово́з уже́ **под пара́ми.**

На всех ПАРА́Х.
At full/top speed.
(На́стя) тут всё реши́ла, все то́чки над «и» поста́вила и пошла́ **на всех пара́х** в откры́тую.
Николаева,
Повесть о директоре МТС . . .

Боево́й ПА́РЕНЬ.
Go-ahead fellow, determined fellow.
Мой колле́га — **боево́й па́рень.** Таки́е лю́ди обы́чно достига́ют свое́й це́ли.

Держа́ть (*или* идти́ на) ПАРИ́.
To bet, to lay a bet.
Держу́ пари́ на два миллио́на, что вы не вы́сидите в казема́те и пяти́ лет.
Чехов, Пари.

Нажа́ть (на) все ПЕДА́ЛИ (*или* нажа́ть (на) все пружи́ны, нажа́ть (на) все кно́пки).
To use all means in order to obtain a goal, to pull wires.
Пётр Па́влович и́щет рабо́ты уже́ второ́й ме́сяц и безуспе́шно. Он реши́л **нажа́ть (на) все́ педа́ли,** что́бы устро́иться на рабо́ту.

Верну́ться к свои́м ПЕНА́ТАМ.
To return to one's hearth and home.
Почти́ всю свою́ жизнь бродя́жничал по све́ту, а в ста́рческом во́зрасте **верну́лся к свои́м пена́там.**

Говори́ть (*или* дока́зывать) С ПЕ́НОЙ у рта.
To speak/argue passionately.
Га́рин **с пе́ной у рта дока́зывал,** что несправедли́во разлучи́ть двух сла́вных и лю́бящих друг дру́га люде́й.
Казакевич, Весна на Одере.

Дотяну́ть до ПЕ́НСИИ.
To live till retirement on a pension, to last it out to retirement.
За после́дних два го́да он ча́сто боле́л, не мог явля́ться на рабо́ту, но, сла́ва Бо́гу, всё-таки **дотяну́л до пе́нсии.**

Сиде́ть (*или* стоя́ть), как ПЕНЬ.
To sit/stand like a stone image.
Он всегда́ **сиди́т** в гостя́х, **как пень.**

Че́рез ПЕНЬ коло́ду (вали́ть).
Anyhow, in a slipshod manner.
Рабо́тайте как сле́дует, а не так, что́бы **че́рез пень коло́ду** вали́ть.
Мельников-Печерский, На горах.

Обраща́ть, обрати́ть в ПЕ́ПЕЛ.
To reduce to ashes.
Войска́ враго́в за́няли террито́рию. Вско́ре мно́го дереве́нь и городо́в **обрати́ли в пе́пел.**

Подыма́ть, подня́ть из ПЕ́ПЛА.
To restore something destroyed or burned, to raise something from the ruins/ashes.
По́сле того́ как ко́нчились бои́ и враг поки́нул за́нятую им террито́рию, эвакуи́рованные жи́тели верну́лись в свои́ дере́вни, чтоб **подня́ть из пе́пла** свои́ хозя́йства.

Выходи́ть, вы́йти из-под ПЕРА́ *кого-л.*
To be written by somebody.
Рома́н «Анна Каре́нина» **вы́шел из-под пера́** Льва Толсто́го.

ПЕРЕЖИ́ТЬ (самого́) себя́.
1. To keep one's significance after death.

2. To lose one's significance during the life.
1. Кто, служа́ вели́ким це́лям ве́ка,
Жизнь свою́ всеце́ло отдаёт
На борьбу́ за бра́та челове́ка,
То́лько тот **себя́ переживёт.**
Н. Некрасов, Зине.

2. Люблю́ и уважа́ю Полево́го, высоко́ ценю́ заслу́ги его́ ... но тем не ме́нее постара́юсь сказа́ть и доказа́ть, что он отста́л от ве́ка ... Ужа́сное несча́стье **пережи́ть самого́ себя́.**
Белинский, Письмо И. И. Панаеву, 22 февраля 1839.

ПЕРЕЛИВА́ТЬ из пусто́го в поро́жнее.
To mill the wind.
— Что же реши́ли вчера́ на собра́нии?
— Ничего́. **Перелива́ли из пусто́го в поро́жнее.**

ПЕРЕЛОМИ́ТЬ себя́.
1. **To change one's behavior/character/habits, etc.**
2. **To restrain one's feelings.**
1. Но уж е́сли я что реши́л, **переломи́ть себя́** не могу́.
Львова, Настойчивый характер.

2. (Суса́нна) хоте́ла **переломи́ть себя́,** но с потряса́ющею си́лой хлы́нули из глаз её слёзы и рыда́ния, поспе́шные, жа́дные рыда́ния огласи́ли ко́мнату.
Тургенев, Несчастная.

Брать, взять *кого-л.* в ПЕРЕПЛЁТ.
To get at somebody.
Обвиня́емый до́лго не признава́л себя́ вино́вником. Когда́ же **взя́ли** его́ **в переплёт,** он созна́лся в свое́й вине́.

Попа́сть в ПЕРЕПЛЁТ.
To get into a scrape, to get into trouble.
Пе́ред наступле́нием был я в разве́дке и **попа́л в** такой **переплёт,** что пришло́сь не́сколько часо́в без движе́ния на го́лой земле́ пролежа́ть.
Гончаров, Наш корреспондент.

ПЕРЕСЫПА́ТЬ, пересы́пать.
To intersperse.
Он лю́бит **пересыпа́ть** свои́ расска́зы посло́вицами и погово́рками.

Владе́ть ПЕРО́М.
To be a master of the written word.
Никто́ не **владе́л перо́м** так, как Пу́шкин

Оди́н как ПЕРСТ.
Quite alone.
У него́ нет ни семьи́, ни бли́зких, ни друзе́й ... Живёт **оди́н как перст.**

Зада́ть ПЕ́РЦУ.
To make it hot.
Посто́й же, тепе́рь же **я зада́м пе́рцу** всем э́тим охо́тникам подава́ть про́сьбы и доно́сы.
Гоголь, Ревизор.

Броса́ть, бро́сить ПЕРЧА́ТКУ.
To throw down the gauntlet.
На балу́ у по́льского поме́щика два челове́ка оби́дели друг дру́га. Оди́н из них **бро́сил перча́тку,** и на друго́й день состоя́лся поеди́нок.

Поднима́ть, подня́ть ПЕРЧА́ТКУ.
To pick up the gauntlet, to accept the challenge to a duel.
Оби́женный Си́львио бро́сил офице́ру перча́тку. Офице́р **по́днял перча́тку,** и на друго́й день состоя́лась дуэ́ль.

ПЕ́СЕНКА спе́та.
Somebody's goose is cooked.
— За после́дние де́сять лет Ви́ктор Ива́нович ничего́ не написа́л. А по́мните, как мно́го его́ стате́й печа́тали ра́ньше?
— Да, да. Его́ **пе́сенка** уже́ **спе́та.**

Стро́ить на ПЕСКЕ́.
To build on sand.
Нельзя́ мечта́ть о том, для чего́ нет реа́льного основа́ния. Кто так де́лает, тот **стро́ит на песке́.**

Тя́нуть одну́ и ту же ПЕ́СНЮ.
To harp on the same string.
Я же вам доказа́л, что вы оши́блись, а вы да́льше **тя́нете одну́ и ту же пе́сню.**

До́лгая ПЕ́СНЯ.
A long story.
«Неуже́ли вы поссо́рились со свои́м сосе́дом?» — «Да». — «Что слу́чилось?» — «Лу́чше не расска́зывать. Это **до́лгая пе́сня**».

Ста́рая ПЕ́СНЯ.
The same old story.
«О чём говори́ли на собра́нии?» — «О повыше́нии жи́зненного у́ровня и произво́ди́тельности труда́, о культу́рной де́ятельности, о де́нежном пожертвова́нии» ... — «Ну, э́то **ста́рая пе́сня**».

ПЕСО́К сы́плется *у кого-л.* (*или из кого-л.*).
Somebody is very old/decrepit.
— Он уже́ ни к чему́ не спосо́бен. Из него́ **песо́к сы́плется.**
— Я не удивля́юсь: ему́ уже́ восьмиде́сятый год.

Как ПЕСО́К морско́й (*или* как песку́ морско́го).
As many as the sand grains on the seashore.
Ка́тя в ту ночь стоя́ла в саду́ и гляде́ла на не́бо. Звёзды выходи́ли одна́ за друго́й и станови́лись на свои́ места́. Вско́ре их бы́ло на не́бе **как песку́ морско́го.**

Очути́ться (*или* оказа́ться) в ПЕ́ТЛЕ.
см. Влезть (*или* попа́сть) в ПЕ́ТЛЮ.

Влезть (*или* попа́сть) в ПЕ́ТЛЮ (*или* очути́ться, оказа́ться в пе́тле).
To find oneself in a hopeless situation.
Отря́д пехо́ты **попа́л в пе́тлю:** круго́м него́ бы́ли вра́жеские войска́.

Наде́ть ПЕ́ТЛЮ на ше́ю *кому-л.*
To hang a millstone about one's neck.
Заве́дующий фа́брикой **наде́л пе́тлю на ше́ю** Вре́менскому, уво́лив его́ с рабо́ты.

Хоть в ПЕ́ТЛЮ лезь.
What remains to one is just to put one's head into the noose.
На экза́мене я провали́лся ... Стипе́ндии бо́льше не получу́ ... Нет никого́, кто бы мне помо́г ... **Хоть в пе́тлю лезь.**

ПЕ́ТЛЯ затя́гивается, затя́гивалась (*или* сжима́ется, сжима́лась).
A desperate situation arises, arose; the noose tightens, tightened.
Пе́тля затя́гивалась, и положе́ние с ча́су на ча́с де́лалось безвы́ходное.
Мамин-Сибиряк, Приваловские миллионы.

Встава́ть с ПЕТУХА́МИ.
To rise with the lark, to rise with the chickens.
Ле́том я люблю́ **встава́ть с петуха́ми.**

Ложи́ться спать с ПЕТУХА́МИ.
To go to bed early.
Наш де́душка занима́ется весь день, но зато́ ве́чером **ложи́тся спать с петуха́ми.**

От ПЕТУХО́В до петухо́в.
The clock around.
Це́лые дни, **от петухо́в до петухо́в,** он рабо́тал над своей кни́гой.

Мне, тебе́ и т. д. кака́я (*или* что за) ПЕЧА́ЛЬ.
What's it to me?
«То́лько поду́майте, Мари́я Па́вловна, каки́е сего́дня э́ти студе́нтки! Вот, наприме́р, дочь на́шего сосе́да: ка́ждый ве́чер она́ хо́дит в кино́». — «**А мне кака́я печа́ль».**

Не твоя́, его́ и т. д. ПЕЧА́ЛЬ.
It is not your, his, etc., business.
«Почему́ не же́нишься, друг?» — «Это **не твоя́ печа́ль,** друг».

Вы́йти из ПЕЧА́ТИ (*или* появи́ться в печа́ти).
To be published, to appear in print.
Ско́ро его́ кни́га **вы́йдет из печа́ти.**

Все́ми ПЕЧЁНКАМИ ненави́деть *кого-л.*
To hate somebody very strongly, to hate the very sight of somebody.
Ра́ньше он её люби́л, а тепе́рь **ненави́дит** её **все́ми печёнками.**

Сиде́ть в ПЕЧЁНКАХ *у кого-л.*
To disquiet somebody very much, to annoy.
Ефроси́нья **сиде́ла** у него́ (Петра́) **в печёнках.** Если Алёшу она́ ещё ко́е-как слу́шалась, то Петру́ пере́чила на ка́ждом сло́ве.
Николаева, Жатва.

Лежа́ть на ПЕЧИ́.
To idle one's time away, to loaf.
Не удиви́тельно, что э́того Митрофа́на никто́ не уважа́ет: вме́сто того́, что́бы рабо́тать, он **лежи́т на печи́.**

Танцева́ть от ПЕ́ЧКИ.
To begin from the beginning.
Уже почти́ полчаса́ говори́м не о том, о чём мы должны́ говори́ть и о чём мы на́чали говори́ть. Дава́йте **танцева́ть от пе́чки.**

ПИ́ВА не сва́ришь *с кем-л.*
It is difficult to arrange things with somebody.
Я хоте́л бы с ним ка́к-нибудь сговори́ться насчёт де́ятельности в на́шем обществе. Но у него́ всегда́ бо́льше возраже́ний, чем одобре́ний. Ви́жу, что **пи́ва** с ним **не сва́ришь.**

Позолоти́ть ПИЛЮ́ЛЮ.
To sugar the pill.
— Со́ня, я приглаcи́л к нам Па́вла. Зна́ю, что ты его́ ненави́дишь, но он сказа́л, что ты ему́ понра́вилась.
— Да, хо́чешь **позолоти́ть пилю́лю.**

Проглоти́ть ПИЛЮ́ЛЮ.
To disregard an insult.
Горба́тый Ва́ня возвраща́лся из шко́лы домо́й. Ма́льчики ста́ли крича́ть: «Горбу́н, горбу́н!» Ва́ня не дра́лся, а **проглоти́л пилю́лю** и шёл да́льше.

Го́рькая ПИЛЮ́ЛЯ.
A bitter pill to swallow.
Никола́й Па́влович, проща́ясь с Ма́шей, сказа́л: «Я тебя́ никогда́ не люби́л». Эти слова́ бы́ли **го́рькой пилю́лей** для Ма́ши.

ПИР на весь мир (*или* пир горо́й).
Sumptuous feast.
«Ну, как же вас там угоща́ли?» — «Прекра́сно, превосхо́дно. Это, зна́ете, был **пир на весь мир».**

Пробега́ть, пробежа́ть ПИСЬМО́.
To read the letter very quickly.
Одна́жды по́дали ему́ паке́т, с кото́рого он сорва́л печа́ть ... **Пробега́я письмо́,** глаза́ его́ сверка́ли.
Пушкин, Выстрел.

Просто́е ПИСЬМО́.
Non-registered letter.
Я посла́л за грани́цу **просто́е письмо́** и

оно́ пропа́ло. На́до бы́ло посла́ть заказны́м.

Лежа́ть ПЛАСТО́М.
To be on one's back.
Больно́й **лежи́т пласто́м** и не шевельнётся.

Нало́женным ПЛАТЕЖО́М.
Cash on delivery.
Кни́жный магази́н вы́слал кни́ги **нало́женным платежо́м.**

ПЛЕВА́ТЬ, плю́нуть на.
Not to care a straw/pin/bit.
Как он сме́ет говори́ть, что я веле́л укра́сть у него́ брю́ки! . . . Мне **плева́ть на** него́ с его́ кня́жеством.
Л. Толстой, Анна Каренина.

ПЛЕВА́ТЬ, плю́нуть мне на други́х.
Not to be interested in what others are doing.
Зи́на: Как же други́е . . .
Гро́мов: **Плева́ть мне на други́х.** Мне нужна́ здоро́вая семья́, и таки́х шу́ток я не потерплю́!
П. Яльцев, Мафусаил.

С ПЛЕЧ доло́й!
Good riddance!
— Зна́ете, что мой де́рзкий квартира́нт, о кото́ром я вам говори́ла, съе́хал вчера́ с кварти́ры.
— **С плеч доло́й!**

С ПЛЕЧ сбро́сить (*или* стряхну́ть).
To get rid of something burdensome/painful/unpleasant.
Вчера́ Семёнова по суду́ оправда́ли. Он дово́лен, что суде́бное разбира́тельство уже́ ко́нчилось, что всё э́то он уже́ **сбро́сил с плеч.**

Реша́ть с ПЛЕЧА́.
To be hasty in solving a problem.
Этот вопро́с о́чень сло́жный и его́ нельзя́ **реша́ть с плеча́.**

С чужо́го ПЛЕЧА́.
Hand-me-downs.
Шубёнка у него́ ста́ренькая и не по ро́сту, ви́дно, **с чужо́го плеча́.**
Горький,
Жизнь Матвея Кожемякина.

Пожима́ть, пожа́ть ПЛЕЧА́МИ.
To shrug one's shoulders.
Жена́ потеря́ла су́мку, в кото́рой была́ значи́тельная су́мма де́нег. На вопро́с му́жа, что тепе́рь де́лать, она́ ничего́ не отве́тила, то́лько **пожа́ла плеча́ми.**

Выноси́ть, вы́нести на свои́х ПЛЕЧА́Х.
To bear, to endure.
Что́бы почти́ть па́мять вели́кого поэ́та, реши́ли дать большо́й конце́рт в сороково́ю годовщи́ну его́ сме́рти. Секретарю́ организа́ции придётся **вы́нести на свои́х плеча́х** всю рабо́ту, свя́занную с подгото́вкой к конце́рту.

Лежа́ть (*или* быть) на ПЛЕЧА́Х.
To be in charge of, to carry the burden of.
Все забо́ты о семье́ **лежа́ли на плеча́х** Га́врика.
Катаев, Электрическая машина.

На ПЛЕЧА́Х проти́вника (*или* неприя́теля).
On top of the enemy.
На́ши та́нки продвига́лись вперёд, и че́рез полчаса́ мы бы́ли **на плеча́х проти́вника.**

Взва́ливать, взвали́ть (*или* положи́ть) на ПЛЕ́ЧИ.
To load somebody with work.
Всю де́ятельность в клу́бе **взвали́ли на пле́чи** учи́теля Вре́менского.

ПЛЕЧО́ к плечу́ (*или* плечо́м к плечу́).
Very closely, side by side.
Доро́га у́зкая, темно́, мы идём **плечо́ к плечу́** и, когда́ запнёмся за корневи́ще, толка́ем друг дру́га.
Горький, Лето.

ПЛЕЧО́М к плечу́.
см. ПЛЕЧО́ к плечу́.

Не по ПЛЕЧУ́.
Beyond one's strength/power.
Эта рабо́та мне **не по плечу́.**

Запре́тный ПЛОД.
Forbidden fruit.
Ми́ша, ви́дя не́сколько ю́ношей, купа́ющихся в глубо́кой реке́, проси́л мать разреши́ть ему́ то́же там покупа́ться. Но он не уме́л пла́вать. Мать сказа́ла Мише́: «Нельзя́, Ми́ша; э́то для тебя́ **запре́тный плод.** Снача́ла научи́сь пла́вать».

Вкуша́ть ПЛОДЫ *чего-л.*
To experience something as a result of one's actions, deeds, behavior.
Сын не слу́шал сове́та отца́. Вместо уче́нья, он гуля́л, ходи́л в кино́ и теа́тр, е́здил автомоби́лем, ну и, коне́чно, пришло́сь ему́ **вкуша́ть плоды́** всего́ э́того: он не вы́держал экза́менов.

Кати́ться по накло́нной ПЛО́СКОСТИ.
To degenerate fast, to go to seed.
Оди́н раз он укра́л не́сколько до́лларов. В друго́й раз напа́л но́чью на же́нщину и о́тнял у неё су́мку с деньга́ми. По́сле э́того огра́бил банк. И так **кати́лся** он **по накло́нной пло́скости,** пока́ не ко́нчил самоуби́йством.

Во ПЛОТИ́.
Incarnate.
Когда́ он ви́дел её пе́ред собо́ю не в па́мяти, а **во плоти́,** в нём возника́л почти́ вражде́бный интере́с к ней.
Горький, Жизнь Клима Самгина.

ПЛОТЬ и кровь.
Flesh and blood.
В сапо́жники, а ведь он сын колле́жского асе́ссора, благоро́дной кро́ви... Он **плоть и кровь** моя́.
Чехов, Беззаконие.

ПЛОТЬ от пло́ти (кость от ко́сти).
One bone and one flesh.
Он **плоть от пло́ти** свои́х педаго́гов, прекра́сный учи́тель и воспита́тель.

Войти́ в ПЛОТЬ и кровь.
To become second nature to somebody, to get it in one's bones.
Он ка́ждый день упражня́лся в стрельбе́ из пистоле́та. Эта привы́чка **вошла́** в его́ **плоть и кровь.**

ПЛЮ́НУТЬ не́куда (*или* не́где).
Literally: **There is no place/room where one could spit (when speaking of a room or space filled by people or things to capacity).**
На том берегу́ **плю́нуть не́где,** под ка́ждым кусто́м пу́шка.
В. Некрасов, В окопах Сталинграда.

Раз ПЛЮ́НУТЬ.
To do something very easily and quickly, without any effort.
Она́ о́чень спосо́бная студе́нтка. Вы́учить ру́сский уро́к — э́то ей **раз плю́нуть.**

ПЛЯ́СКА свято́го Ви́тта (*или* Ви́ттова пля́ска).
St. Vitus's dance, chorea.
У ребёнка уже́ бы́ло не́сколько при́ступов **пля́ски свято́го Ви́тта.**

Быть на ПОБЕГУШКАХ.
1. **To run somebody's errands, to run errands for somebody.**
2. **To be at somebody's beck and call.**
1. Го́да два **был на побегу́шках,** ра́зные коми́ссии исправля́л: и за во́дкой-то бе́гал, и за пирога́ми, и за ква́сом.
А. Островский. Доходное место.

2. Ни́на Ива́новна бро́сила слу́жбу секрета́рши, потому́ что не хоте́ла **быть на побегу́шках** у своего́ заве́дующего.

ПОБОРО́ТЬ себя́.
To conquer oneself.
Го́да два тому́ наза́д Гаври́ла, сле́дуя сове́ту врача́, бро́сил кури́ть. Жела́ние кури́ть пресле́довало его́ три ме́сяца, но наконе́ц Гаври́ла **поборо́л себя́** и до сих пор не ку́рит.

Не ПОБРЕ́ЗГАЙ(-те).
Please don't disdain.
Не побре́згай, оте́ц наш, хле́бом и со́лью.
Гоголь, Ревизор.

На ПОВЕ́РКУ.
In fact.
— Мо́жет, поумне́ла от стра́ха, а то́лько, **на пове́рку,** вы́шло, что она́ хитре́е всех.
Чехов, Происшествие.

Скользи́ть по ПОВЕ́РХНОСТИ.
To study superficially.
Студе́нт не вы́держал экза́мена потому́, что, занима́ясь, он не вника́л глубоко́ в существо́ предме́та, а то́лько **скользи́л по пове́рхности.**

Дневна́я ПОВЕ́РХНОСТЬ.
The surface of the earth.
Вода́ по тре́щинам го́рной поро́ды выхо́дит на **дневну́ю пове́рхность.**
Арсеньев, В горах Сихотэ-Алиня.

ПОВЕ́СТКА дня.
Agenda, order of the day.
Пове́стка дня была́ исче́рпана и заседа́ние закры́то.

На ПОВЕ́СТКЕ дня (*или* на пове́стку дня).
On the agenda, in the order of the day.
И когда́ встал **на пове́стку дня** коренно́й крестья́нский вопро́с — коллективиза́ция — тру́дности для мно́гих каза́лись непреодоли́мыми.
М. Калинин,
О коммунистическом воспитании.

Быть на ПОВОДУ́.
To be led by.
То́лько ты име́й в виду́, Дом поки́ну, а не **бу́ду** У тебя́ **на поводу́.**
Яшин, Алена Фомина.

По ПО́ВОДУ.
On the occasion, apropos.
— Романти́зм — э́то от стра́ха взгляну́ть пра́вде в глаза́, — сказа́л он вчера́ **по по́воду** стихо́в Ба́льмонта.
Горький, Лев Толстой.

То ПОВЫША́ТЬСЯ, то понижа́ться.
To soar up and down (when speaking of a sound).
Издалека́ слы́шны бы́ли зву́ки. Они́ **то повыша́лись, то понижа́лись.**

ПОГОДИ́(-те).
Wait, one moment.
Погоди́, друг, я сейча́с приду́.

Как на ПОДБО́Р.
Choice (attr.).
Все краса́вцы молоды́е, Велика́ны удалы́е, Все равны́, **как на подбо́р.**
Пушкин, Сказка о царе Салтане.

Ничего́ не ПОДЕ́ЛАЕШЬ.
There is nothing to be done; it can't be helped; you can't help it.
Зна́ю, что у тебя́ в конто́ре мно́го рабо́-

ты, но **ничего́ не поде́лаешь,** ты пло́хо себя́ чу́вствуешь, и тебе́ на́до оста́ться до́ма.

ПОДЖИГА́ТЕЛИ войны́.
Instigators of war, warmongers.
В исто́рии иногда́ быва́ет так, что те, кто поджига́ет войну́, называ́ют други́х **поджига́телями войны́.**

ПОДЖИ́ЛКИ трясу́тся, трясли́сь.
One is shaking in his shoes; one is quaking with fear.
А прика́зы э́ти бы́ли насто́лько ре́зки, что у мно́гих от них **поджи́лки трясли́сь.**
Новиков-Прибой,
Капитан 1-го ранга.

В ПОДМЁТКИ не годи́ться.
Not to be fit to hold a candle.
Не понима́ю, как мог э́тот пья́ница и злоде́й обижа́ть президе́нта. Он же президе́нту и **в подмётки не годи́тся.**

Ничего́ ПОДО́БНОГО.
Nothing of the kind.
«Почему́ ты говори́л о рабо́чих так... раздражённо?» — «Раздражённо? — с по́лной и́скренностью воскли́кнул он. — **Ничего́ подо́бного!** Отку́да ты э́то взяла́?»
Горький, Жизнь Клима Самгина.

И тому́ ПОДО́БНОЕ.
And so on, and so forth.
В э́том магази́не име́ется всё, что вам ну́жно: пла́тья, руба́шки, чулки́, боти́нки, брю́ки, бума́га, журна́лы, **и тому́ подо́бное.**

Быть под ПОДОЗРЕ́НИЕМ (*или* на подозре́нии).
To be under suspicion.
— Кто укра́л де́ньги в ба́нке, не зна́ете?
— Не зна́ю. Пока́ оди́н из слу́жащих **под подозре́нием.**

ПОДРУ́ГА жи́зни.
Wife.
Мне бы́ло бы о́чень тру́дно преодоле́ть все э́ти чу́вства огорче́ния, гру́сти и тоски́, е́сли б у меня́ не́ было хоро́шей **подру́ги жи́зни.** Она́, Ма́ша, всегда́ и во всём мне помога́ет.

ПО́ДСТУПА нет к нему́.
He is inaccessible, you can't get near him.
Сего́дня я хоте́ла б спроси́ть своего́ заве́дующего о повыше́нии мне жа́лования, но **к нему́ по́дступа нет.** Он почему́-то о́чень серди́т.

И не ПОДУ́МАТЬ (сде́лать *что-л.*).
Not to consider something as necessary, not to have intention to do something.
Прие́хавши, он **и не поду́мал** попроси́ть умы́ться.
Тургенев, Дворянское гнездо.

Лёгок на ПОДЪЁМ.
Light on one's feet, brisk.
«На бу́дущей неде́ле бу́дет хоро́шая о́пера. На́до бы́ло б зара́нее купи́ть биле́ты. Кто бы пошёл за биле́тами?» — «Алёша. Вы ж зна́ете, что он **лёгок на подъём».**

Тяжёл на ПОДЪЁМ.
Sluggish, slow moving.
Он в о́перу не пойдёт. Его́ тру́дно уговори́ть: он **тяжёл на подъём.**

Курье́рский ПО́ЕЗД.
Express train.
За́втра е́дем в Нью-Йорк **курье́рским по́ездом.**

Бежа́ть (*или* лете́ть и т. п.) как на ПОЖА́Р.
To run/rush in a great hurry.
Стёпа вы́шел из шко́лы и **бежа́л** домо́й **как на пожа́р.**

С ПОЗВОЛЕ́НИЯ сказа́ть.
1. **An apology for mentioning the matter.**
2. **If one may call (him, her, etc.).**
1. А ведь, что за голь, что за голь-то была́! про́сто, **с позволе́ния сказа́ть,** в одно́й руба́шке ха́живал.
Салтыков-Щедрин, Запутанное дело.
2. Э́тот поэ́т, **с позволе́ния сказа́ть,** сам не понима́ет, что он написа́л.

ПОЗВО́ЛИТЬ себе́.
1. **To venture, to permit oneself.**
2. **To be able to afford.**
1. Он **позво́лил себе́** заме́тить, что не все учителя́ объясня́ют хорошо́ уро́ки.
2. У них мно́го де́нег, и они́ мо́гут **позво́лить себе́** пое́здку на́ море.

ПОКА́ не.
см. До тех ПОР пока́ не.

Оста́вь(-те) меня́ в ПОКО́Е.
Leave me alone.
— Нет у меня́ для вас ме́ста! Нет и нет. **Оста́вьте меня́ в поко́е!** Не му́чайте меня́!
Чехов, Дамы.

ПО́ЛЕ бо́я (*или* по́ле би́твы, сраже́ния и т. п.).
Battlefield.
По́ле бо́я бы́ло покры́то ра́неными.

ПО́ЛЕ де́ятельности.
The sphere of action.
Его́ слу́жба — э́то широ́кое **по́ле де́ятельности.**

Бре́ющий ПОЛЁТ.
Horizontal, not high flight.
Самолёты несли́сь над го́родом **бре́ющим полётом.**

С (высоты́) пти́чьего ПОЛЁТА.
From a very high place.
С (высоты́) пти́чьего полёта мы любова́лись прекра́сным ви́дом равни́н, рек и лесо́в.

ПОЛЗТИ́ по-пласту́нски.
To crawl along on elbows.
Он **полз по-пласту́нски,** опира́ясь на ло́кти и подтя́гивая те́ло.
Гончаров, Наш корреспондент.

На́шего ПОЛКУ при́было.
Our numbers have increased.
На пе́рвом собра́нии на́шей организа́ции бы́ло всего́ пять челове́к, а сего́дня уже́ со́рок пять. Зна́чит, **на́шего полку́ при́было.** Прекра́сно!

Да и ПО́ЛНО.
And that's it.
— А вот у хрыча́ Черeви́ка нет со́вести ... Ну, его́ и вини́ть не́чего, он пень, **да и по́лно.**
Гоголь, Сорочинская ярмарка.

ПОЛОЖЕ́НИЕ веще́й.
State of affairs.
Положе́ние веще́й бы́ло таково́, что нам на́до бы́ло уезжа́ть из го́рода по́сле я́ростной бомбёжки.

Войти́ в *чьё-л.* ПОЛОЖЕ́НИЕ.
To put oneself in somebody's place, to sympathize with somebody.
Если б вы **вошли́ в** моё **положе́ние,** то вы по́няли б, что я не мог вам помо́чь: у меня́ жена́ и де́ти бы́ли больны́ в то вре́мя.

ПОЛОЖИ́ТЕСЬ на меня́.
You can depend on me.
Не беспоко́йтесь, я э́то сде́лаю для вас, я вам помогу́ в э́том де́ле, **положи́тесь на меня́.**

От ПОЛНОТЫ се́рдца (*или* души́, чувств и т. п.).
Wholeheartedly.
Увид́ев му́жа по́сле пяти́ лет разлу́ки, Алекса́ндра не могла́ говори́ть **от полноты́ се́рдца.**

На ПОЛСЛО́ВА.
For a very short conversation, for a minute.
Господи́н Кирю́шин, мо́жно вас **на полсло́ва?**

На ПОЛУСЛО́ВЕ замолча́ть (*или* останови́ться и т. п.).
To stop in the middle of a sentence.
Он на́чал говори́ть о пла́не перестро́йки се́льского хозя́йства и **на полусло́ве останови́лся.**

Не име́ть ни ПОЛУ́ШКИ.
To be penniless, to be broke.
К сожале́нию, не могу́ вам ника́к помо́чь: **не име́ю ни полу́шки.**

В ПО́ЛЬЗУ.
In somebody's favor, on/in behalf of somebody.
(Я) реши́л поже́ртвовать **в по́льзу** голода́ющих пять ты́сяч рубле́й серебро́м.
Чехов, Жена.

На́шего (*или* одного́, своего́ и т. п.) ПО́ЛЯ я́года.
One of our kind.
Мы зна́ли, что он бу́дет го́рдостью свое́й страны́. Это ж **на́шего по́ля я́года.**

И ПОМИ́НА/У нет.
There is no mention; no mention is made.
За обе́дом **и поми́ну не́ было** об литерату́ре; говори́ли о Наполео́не ... о городски́х новостя́х и преиму́щественно о скандалёзных исто́риях.
С. Аксаков, Литературные и театральные воспоминания.

Нет, не́ было и в ПОМИ́НЕ.
There is, was, no trace.
В давни́шнее вре́мя ёлочных украше́ний **не́ было и в поми́не** и всё приходи́лось де́лать самому́.
А. Н. Толстой, Детство Никиты.

Не ПО́МНИТЬ себя́.
To be beside oneself.
Он ча́сто **не по́мнит себя́** от гне́ва.

ПО-МО́ЕМУ (вводн. сл.).
In my opinion, according to my opinion, to my mind.
По-мо́ему, он хоро́ший, че́стный челове́к.

Быть (*или* ходи́ть) на ПОМОЧА́Х *у кого-л.*
To be in leading strings.
Фёдор, сын царя́ Ива́на Гро́зного, был нереши́тельным, несамостоя́тельным царём и поэ́тому **был на помоча́х** у Бори́са Годуно́ва.

Пе́рвая ПО́МОЩЬ (*или* ско́рая по́мощь).
First aid.
Пострада́вшему при несча́стном слу́чае была́ ока́зана **пе́рвая по́мощь** до прибы́тия врача́.

Ско́рая ПО́МОЩЬ.
см. Пе́рвая ПО́МОЩЬ.
Ambulance car.
Пострада́вшего перевезли́ неме́дленно **ско́рой по́мощью** в го́спиталь.

Облива́ть, обли́ть ПОМО́ЯМИ.
см. Облива́ть, обли́ть ГРЯ́ЗЬЮ.

ПОНИМА́Ю (*или* по́нял).
I see.
«Прости́те, пожа́луйста, мо́жете вы мне сказа́ть, где нахо́дится музе́й?» — «Да,

дойди́те до угла́, пото́м поверни́те напра́во и иди́те до университе́та». — **«Понима́ю».**

Ни за ПОНЮ́Х (*или* понюшку) табаку́ пропа́сть, поги́бнуть и т. п.

To perish/die for nothing.

Эх, Сидо́ркин, а ведь и жа́лко мне тебя́, — не сноси́ть тебе́ головы́, **пропадёшь ни за понюх табаку́.**

Серафимович, В камышах.

ПОНЯ́ТНО (вводн. сл.).

Naturally, of course.

За окно́м пролета́ли воро́ны. Жене, **поня́тно,** то́тчас захоте́лось узна́ть соверше́нно то́чно, ско́лько воро́н — семь и́ли во́семь?

Катаев, Цветик-семицветик.

ПОПА́СТЬ(-ся) впроса́к.

To put one's foot into it.

Молодо́й челове́к **попа́л впроса́к,** когда́ узна́л, что у молодо́й же́нщины, с кото́рой он танцева́л весь ве́чер, есть муж.

Ты у меня́ ПОПЛЯ́ШЕШЬ, он у меня́ попля́шет и т. д.

It will make it hot for you; you, he, etc., will catch it.

Я у вас отобью́ охо́ту к грабежу́, **вы у меня́** сего́дня **попля́шете!**

Закруткин, Плавучая станица.

До каки́х ПОР?

Till what time? Till when? How long?

До каки́х пор вы бу́дете изуча́ть ру́сский язы́к?

До сих ПОР.

Till now, up to now.

Ива́н Петро́вич, прие́хав в Аме́рику, посели́лся в ма́леньком городке́ и живёт там **до сих пор.**

До тех ПОР, пока́ не.

Until, as long as.

Я бу́ду ждать его́ **до тех пор, пока́** он **не** вернётся.

С да́вних ПОР.

For a long time, for ages.

Эту пе́сню поёт ру́сский наро́д **с да́вних пор.**

С каки́х (*или* с кото́рых) ПОР?

Since when?

С каки́х пор она́ боле́ет туберкулёзом?

С тех ПОР, как.

Ever since.

Я ни ра́зу не́ был в о́пере **с тех пор, как** перее́хал в э́тот городо́к.

ПОРА́ идти́.

It is time to go.

Нам **пора́ идти́** домо́й.

ПОРА́ (*или* на́до) и честь знать.

It's time to finish.

Ну, друзья́, поговори́ли, повесели́лись, д **пора́ и честь знать.**

ПОРА́ на бокову́ю.

It is time to go to bed.

Уже́ по́здно, двена́дцать часо́в, **пора́ н бокову́ю.**

Глуха́я ПОРА́ (*или* глухо́е вре́мя).

Slack time.

Пора́ стоя́ла **глуха́я,** зака́зы в мастерску́ поступа́ли вя́ло.

Вересаев, Два конца

Давно́ ПОРА́.

It is high time.

Де́ти, вам **давно́ пора́** спать.

На пе́рвых ПОРА́Х.

At first.

— Куда́ прёшь, ле́ший! — **на пе́рвых** ж **пора́х** слы́шит Ио́на во́згласы из тёмно дви́жущейся взад и вперёд ма́ссы.

Чехов, Тоска

Обще́ственное ПОРИЦА́НИЕ.

Public censure/reprimand.

Фёдору Кра́вченко, секретарю́ се́льског сове́та, вы́несли **обще́ственное порица́ние** за прогу́лы.

На ПОРО́Г не пуска́ть, пусти́ть.

Not to let somebody set foot on one' threshold.

За то, что он так де́рзко вёл себя́ на со бра́нии и оби́дел меня́, я его́ к себе́ **н поро́г не пущу́.**

На ПОРО́ГЕ.

Something should come very soon.

На́до побо́льше занима́ться: экза́мен **на поро́ге!**

Обива́ть, оби́ть (все) ПОРО́ГИ.

To go frequently somewhere trying t obtain/achieve something.

Везде́ быва́л, **оби́л все поро́ги,** а слу́жб не нашёл.

Держа́ть ПО́РОХ сухи́м.

To be always ready for defense.

О них не на́до беспоко́иться: они́ **держа по́рох сухи́м.**

Тра́тить (*или* теря́ть, изводи́ть и т. п.) ПО́РОХ да́ром.

To waste one's fire, to spend one's wit to no purpose.

Мно́го делега́тов прие́хало на совеща́ни и уже́ тре́тью неде́лю **тра́тят по́рох да́ром.**

Он ПО́РОХА (*или* по́роху) не вы́думает.

He will not invent gunpowder.

А ты, мой ми́лый, не проси́ у него́ сове́та: **он по́роха не вы́думает.**

Синь ПО́РОХА нет (*или* не оста́лось, н оста́нется и т. п.).

There is (remained), will remain, etc. nothing at all.

Дом сгоре́л, ку́зница сгоре́ла. — Запа́с весь как есть пригоре́л, **синь по́роха не оста́лось.**

Короленко, Павловские очерки.

него́ ПО́РОХА/У не хвата́ет.

It is beyond him.

Мне ка́жется, что он не ко́нчит университе́та: **у него́ по́роха не хвата́ет.**

Па́хнет ПО́РОХОМ.

There is a smell of gunpowder in the air, there is a threat of war.

Ну, сла́ва Бо́гу, обошло́сь без войны́. А бы́ло уже́ опа́сно. Все говори́ли: **па́хнет по́рохом.**

Он, ты и т. д. ПО́РОХУ не ню́хал.

He was not, you, etc., were not at war; inexperienced.

Не понима́ю, как он мо́жет говори́ть о войне́: ведь он и **по́роху** никогда́ **не ню́хал.**

Живо́й ПОРТРЕ́Т.

The very likeness.

Аня — **живо́й портре́т** свое́й ба́бушки Екатери́ны.

В (са́мую) ПО́РУ.

Just at the right time.

Го́сти прие́хали к нам **в (са́мую) по́ру:** всё бы́ло подгото́влено.

Не в ПО́РУ.

Inopportunely, at the wrong time.

Он прие́хал к нам **не в по́ру** и причини́л нам мно́го забо́т.

До ПОРЫ́, до вре́мени.

Until a certain time, for so long and no longer, for the time being.

Вся э́та молва́ лишь **до поры́, до вре́мени:** всему́ быва́ет коне́ц, бу́дет и ей.

До сей ПОРЫ́.

To this day.

Господа́ Черны́х обеща́ли посети́ть нас ещё в про́шлом году́ и **до сей поры́** не посети́ли.

Стоя́ть в ПОРЯ́ДКЕ дня.

To be on the agenda.

Сле́дующие вопро́сы **стоя́т в поря́дке дня** сего́дняшнего собра́ния.

Смотре́ть, посмотре́ть за ПОРЯ́ДКОМ.

To keep order.

Пионе́ры должны́ бы́ли **смотре́ть за поря́дком** в своём ла́гере.

ПО-СВО́ЕМУ.

1. At one's discretion/judgment.
2. In one's own way.

1. Тебе́ хо́чется жить **по-сво́ему,** и други́м хо́чется. Что тебе́ за де́ло до Лёночки? Пусть живёт, как зна́ет.

Помяловский, Мещанское счастье.

2. Меня́ он, ка́жется, **по-сво́ему** лю́бит.

Куприн, Прапорщик армейский.

Войти́ в ПОСЛО́ВИЦУ.

To become a proverb.

Учи́сь, мой сын, учи́сь. Бу́дешь лу́чше понима́ть свет и люде́й. Ведь э́та и́стина **вошла́** уже́ и **в посло́вицу:** Уче́нье — свет, а неуче́нье — тьма.

Выходно́е ПОСО́БИЕ.

Severance pay.

Ники́ту Кра́вченко уво́лили с рабо́ты, и он получи́л **выходно́е посо́бие.**

Вели́кий ПОСТ.

Lent.

Свяще́нник говори́л в це́ркви о **Вели́ком посте́.**

Пошла́, пойдёт ПОТЕ́ХА.

And then the fun began, will begin.

Че́рез две мину́ты уж в са́кле был ужа́сный гвалт . . . Все вы́скочили, схвати́лись за ру́жья и **пошла́ поте́ха.**

Лермонтов, Бэла.

Взять с ПОТОЛКА́.

To make something up, to spin a yarn out of thin air.

Он не ду́мал о том, о чём говори́л. Вот **взял** всё э́то **с потолка́.**

Плева́ть, плю́нуть в ПОТОЛО́К.

To sit twiddling one's thumbs.

Есть ра́зные лю́ди: одни́ рабо́тают с утра́ до ве́чера, а други́е **плюю́т в потоло́к.**

ПО́ТОМ и кро́вью.

With blood and sweat.

Ого́нь сжёг их прекра́сный дом, постро́енный **по́том и кро́вью.**

До ПОТО́ПА.

At immemorial times, antediluvian, prehistoric.

На экза́мене профе́ссор сказа́л студе́нту, чтоб он не говори́л о веща́х **до пото́па,** а чтоб отвеча́л то́чно на вопро́сы.

Рассыпа́ться, рассы́паться в ПОХВАЛА́Х (*или* комплиме́нтах).

To shower praises/compliments.

Ни́на спроси́ла своего́ дру́га, понра́вился ли ему́ её го́лос. Друг **рассы́пался в похвала́х.**

Не ПОХО́Ж на самого́ себя́.

One is not himself.

С не́которых пор он **не похо́ж на самого́ себя́,** и никто́ не зна́ет, что случи́лось.

ПОХО́ЖЕ (на то), что . . .

It looks as if . . .

Похо́же (на то), что бу́дет бу́ря.

Посыла́ть, посла́ть возду́шные ПОЦЕЛУ́И.

To wave kisses.

Роди́тели **посыла́ли** де́тям **возду́шные поцелу́и** из окна́ ваго́на, когда́ по́езд тро́нулся.

ПОЧЕМУ́-то.

For some reason.

И **почему́-то** сего́дня с утра́ вспомина́ются бе́лые я́блони у нас в са́дике.
К. Тренёв, День рождения.

Моё ПОЧТЕ́НИЕ!
My compliments!
— **Моё почте́ние!** Куда́ так спеши́те, Ива́н Серге́евич?

Заткну́ть за ПО́ЯС.
To be one too many for somebody.
(Да́ша) любо́го па́рня **за по́яс заткнёт.**
Игишев, Шахтёры.

Ло́мить ПОЯСНИ́ЦУ.
One's back aches.
У меня́ **ло́мит поясни́цу.**

На ПРАВА́Х.
Exercising the rights.
Юрий по-пре́жнему приходи́л в дом **на права́х** жениха́.

На ра́вных ПРАВА́Х.
To have equal rights.
В хоро́шем обще́ственном поря́дке все гра́ждане **на ра́вных права́х.**

(Все́ми) ПРА́ВДАМИ и непра́вдами.
By hook or by crook.
Он добива́ется свое́й це́ли **(все́ми) пра́вдами и непра́вдами.**

По ПРА́ВДЕ говоря́ (*или* по пра́вде сказа́ть, пра́вду говори́ть, пра́вду сказа́ть).
To tell the truth.
Мы, **по пра́вде сказа́ть,** всё-таки не бы́ли избало́ваны све́жестью и оби́лием новосте́й.
Гаршин, Аясларское дело.

Смотре́ть (*или* гляде́ть и т. п.) ПРА́ВДЕ в глаза́ (*или* в лицо́).
To be realistic, to face the truth.
Нельзя́ преувели́чивать на́ши ма́ленькие успе́хи в войне́ и ду́мать, что мы уже́ победи́ли. Враг силён, и нам на́до **смотре́ть пра́вде в глаза́.**

ПРА́ВДУ говори́ть.
см. По ПРА́ВДЕ говоря́.

ПРА́ВДУ-ма́тку ре́зать (*или* говори́ть и т. п.).
To talk frankly.
Не́которые ненави́дят его́ за то, что он лю́бит **пра́вду-ма́тку ре́зать.**

В ПРА́ВЕ сде́лать.
To have the right to do.
Вы не мо́жете прину́дить ва́шего сы́на поступи́ть в колле́дж: он **в пра́ве сде́лать** свой вы́бор.

Акти́вное избира́тельное ПРА́ВО.
Suffrage, the vote.
В Аме́рике все гра́ждане в во́зрасте двадцати́ одного́ го́да име́ют **акти́вное избира́тельное пра́во.**

Отправля́ться, отпра́виться к ПРА́ОТЦАМ.
см. Отправля́ться, отпра́виться на тот СВЕТ.

ПРАХ с тобо́й, с ним и т. д.
All right, agreed, let it be so.
— Ну, ну зови́, **прах с ним,** глаза́ б мои́ на него́ не гляде́ли. Я его́ в дверь вы́гнала, а он в окно́ ле́зет.
Е. Полевой, У самого нового моря.

Здесь поко́ится ПРАХ.
Here lies the body.
Здесь поко́ится прах президе́нта Ке́ннэди.

Обраща́ть, обрати́ть в ПРАХ.
To reduce to dust/ashes.
Тата́ры **обрати́ли в прах** сёла и города́ Ки́евской Руси́.

Отряхну́ть ПРАХ от свои́х ног.
To break finally the relationship/connection.
Они́ ссо́рились уже́ весь год, и говоря́т, что на про́шлой неде́ле он **отряхну́л прах от свои́х ног.**

ПРЕВОЗМО́ЧЬ себя́.
To overcome oneself.
Наста́сья Ива́новна до́лго горева́ла о свое́й до́чери, но наконе́ц **превозмогла́ себя́** и включи́лась в обще́ственную рабо́ту.

ПРЕВЫ́ШЕ всего́.
Above all.
Борьба́ за идеа́лы свобо́ды ли́чности **превы́ше всего́** для ка́ждого иде́йного челове́ка.

Отправля́ться, отпра́виться к ПРЕ́ДКАМ.
см. Отправля́ться, отпра́виться на тот СВЕТ.

На ПРЕДМЕ́Т.
For the purpose.
Ме́сто несча́стного происше́ствия огороди́ть и **на предме́т** охра́ны поста́вить бу́дочника.
А. Н. Толстой, Пути культуры.

ПРЕДОСТА́ВИТЬ самому́ себе́, само́й себе́ и т. д.
1. **To give one the possibility to use his own discretion/judgment.**
2. **To leave somebody without care.**
1. Роди́тели боя́лись **предоста́вить** восемнадцатиле́тнего сы́на **самому́ себе́** в университе́те в друго́м шта́те и уговори́ли его́ поступи́ть в университе́т в родно́м го́роде.
2. В пыли́ гли́няных доро́жек копоша́тся де́ти. Они́ **предоста́влены сами́м себе́.** Их роди́тели на рабо́те.
Тихонов, Рассказы о Пакистане.

ПРЕДСТА́ВЬ(-те) себе́ (*или* мо́жешь(-те) себе́ предста́вить).
Imagine, you can imagine.

Предста́вьте себе́ моё впечатле́ние от вчера́шнего слу́чая: вме́сто почтальо́на на поро́ге, я уви́дела своего́ му́жа, верну́вшегося с войны́.

Обда́ть ПРЕЗРЕ́НИЕМ.
см. Обли́ть ПРЕЗРЕ́НИЕМ.

Обли́ть (*или* обда́ть) ПРЕЗРЕ́НИЕМ.
To look at somebody with contempt.
Он отказа́лся жени́ться на Ма́ше. В отве́т Ма́ша **обдала́** его́ **презре́нием.**

По ПРЕИМУ́ЩЕСТВУ.
For the most part, chiefly.
В э́том магази́не продаю́тся **по преиму́ществу** и́мпортные това́ры.

Свести́ с ПРЕСТО́ЛА.
To dethrone.
В 1610 г. **свели́ с престо́ла** царя́ Васи́лия Шу́йского.

Быть в ПРЕТЕ́НЗИИ *на кого-л.*
To bear somebody a grudge, to have a grudge against somebody.
«Я **в прете́нзии** на вас за ре́зкость ва́шего то́на», — сказа́ла Ната́ша своему́ жениху́.

Не ПРИВЕСТИ́ ни к чему́ хоро́шему.
This will lead to no good.
Его́ зло́бные эпигра́ммы **не приведу́т ни к чему́ хоро́шему.**

ПРИВЕСТИ́ *кого-л.* в себя́.
1. **To bring somebody out of the state of faint.**
2. **To bring somebody out of a state of pensiveness/confusion/embarrassment.**

1. Впа́вшую в о́бморок де́вушку вы́несли из це́ркви. Све́жий во́здух **привёл** её **в себя́.**
2. Пугачёв **привёл** меня́ **в себя́** свои́м вопро́сом: — Говори́: по како́му же де́лу вы́ехал ты из Оренбу́рга?

Пушкин, Капитанская дочка.

Переда́ть проща́льный ПРИВЕ́Т.
To convey farewell greetings.
Проща́йте, мои́ дороги́е. **Переда́йте проща́льный приве́т** друзья́м на́шим и пе́рвому на́шему ве́рному . . .

К. Тренёв, День рождения.

ПРИЙТИ́СЬ впо́ру.
см. БЫТЬ впо́ру.

ПРИКАЗА́ТЬ до́лго жить (*или* поки́нуть юдо́ль сию́, отойти́ в ино́й мир).
To depart from this life, to die.
— Так-то, брат кобы́лочка . . . Не́ту Кузьмы́ Ио́ныча . . . **Приказа́л до́лго жить . . .** взял и по́мер зря . . .

Чехов, Тоска.

Как мёртвому ПРИПА́РКА (помо́жет).
The remedy is ineffectual.
Нет смы́сла говори́ть жа́ждущему о воде́. Э́то ему́ **(помо́жет) как мёртвому припа́рка.** Жа́ждущему на́до дать воды́.

ПРИСТА́ТЬ *к кому-л.*
To worry someone.
«Купи́ но́вый автомоби́ль, Са́ша. Купи́, пожа́луйста, Са́ша», — **приста́ла** Ма́ша к му́жу.

Нельзя́ ПРИСТУПИ́ТЬСЯ.
см. ПРИ́СТУПУ нет.

ПРИ́СТУПУ нет (*или* не присту́пишься, нельзя́ приступи́ться).
Somebody is inaccessible/unapproachable.
Хоте́л Андре́й Во́лков поговори́ть с заве́дующим городско́й электроста́нцией насчёт повыше́ния жа́лования, но к нему́ **при́ступу нет.**

ПРО́БА пера́.
First steps in literature.
Не́сколько кра́тких расска́зов, напи́санных э́тим студе́нтом — э́то дово́льно хоро́шая **про́ба пера́.**

Он глуп как ПРО́БКА.
He is a blockhead/dolt/numbskull; he is an ass.
И как он мо́жет ду́мать о том, чтоб поступи́ть в университе́т?! **Он** же **глуп как про́бка.**

ПРОГОРА́ТЬ, прогоре́ть (дотла́).
To go bankrupt, to be ruined.
Э́тот коммерса́нт **прогоре́л (дотла́)** в про́шлом году́.

Поступа́ть, поступи́ть в ПРОДА́ЖУ.
To be on sale, to be on the market.
К сожале́нию, э́ти маши́ны ещё не продаю́тся. Они́ **посту́пят в прода́жу** на бу́дущей неде́ле.

Отпуска́ть, отпусти́ть (*или* оставля́ть, оста́вить) на ПРОИЗВО́Л судьбы́.
To leave one to the mercy of fate.
— Учи́телем быть вы не мо́жете, до пе́нсии вы ещё не дотяну́ли . . . **отпусти́ть** же вас **на произво́л судьбы́ . . .** не совсе́м ло́вко.

Чехов, Дамы.

Дать ПРО́МАХ.
To miss.
— Я вы́стрелил, — продолжа́л граф, — и, сла́ва Бо́гу, **дал про́мах.**

Пушкин, Выстрел.

Положи́ть своего́ ПРОТИ́ВНИКА на ме́сте.
To kill one's adversary.
Ме́жду ковбо́ями Хо́ссом и Адамсом состоя́лась дуэ́ль, и Хосс **положи́л своего́ проти́вника на ме́сте.**

Ме́жду ПРО́ЧИМ.
By the way.

Я спроси́л у него́, **ме́жду про́чим,** не зна́ет ли он чего́-нибудь о капита́не.
Гаршин, Надежда Николаевна.

Хоть ПРУД пруди́.
There is plenty.
Де́нег у него́ — **хоть пруд пруди́.**

Как на ПРУЖИ́НАХ.
Very quickly, energetically.
Эта ме́дсестра дви́гается **как на пружи́нах.**

Нажа́ть(на) все ПРУЖИ́НЫ.
см. Нажа́ть(на) все ПЕДА́ЛИ.

Во всю ПРЫТЬ.
As fast as one can.
Отку́да-то из-за сара́я вы́скочила ма́ленькая Жу́лька и **во всю прыть** свои́х то́неньких но́жек понесла́сь наперере́з бе́шеной соба́ке.
Куприн, Барбос и Жулька.

Игра́ть в ПРЯ́ТКИ.
Not to act directly, to hide something.
Не заслу́живает дове́рия тот, кто лю́бит **игра́ть в пря́тки.**

Жить как ПТИ́ЦА небе́сная.
To live an untroubled life.
Сам он **жил как пти́ца небе́сная.** Утром не знал, что бу́дет есть в по́лдень.
Чехов, Агафья.

ПУЛЬС хоро́шего наполне́ния.
Strong pulse.
У вас не осла́бленный пульс, у вас **пульс хоро́шего наполне́ния.**

Пусти́ть себе́ ПУЛЮ в лоб.
To blow out one's brains.
Никто́ не зна́ет, по како́й причи́не он **пусти́л себе́ пу́лю в лоб.** Мо́жет быть, потому́ что обанкро́тился.

Не по ПУТИ́ *с кем-л.*
To differ in strivings, to travel different roads.
Кто бо́рется за свобо́ду ли́чности, тому́ **не по пути́** с тем, кто полюби́л ра́бство.

Пойти́ по плохо́му ПУТИ́ (*или* пойти́ по плохо́й доро́ге).
To start on the road to ruin.
Как стра́нно чита́ть об Алексе́е Ива́новиче! Попа́л в тюрьму́... Ну, да, пока́ жил отец, сын был поря́дочным челове́ком; но когда́ оте́ц у́мер, сын **пошёл по плохо́му пути́** и тепе́рь в тюрьме́.

Сбить с ПУТИ́ (и́стины).
To lead astray.
Он был хоро́шим ма́льчиком, приле́жным и спосо́бным ученико́м, но развра́тные това́рищи **сби́ли** его́ **с пути́ (и́стины).**

Совраща́ть, соврати́ть с ПУТИ́ (и́стинного).
To lead astray.
Соврати́ла она́ и двоюродную ва́шу сестри́цу **с пути́** и вас погуби́ла.
Достоевский, Бедные люди

Стоя́ть на хоро́шем (*или* пра́вильном) ПУТИ́.
To be on the right trail, to travel the road of righteousness.
Тот, кто защища́ет пра́во ка́ждого челове́ка на свобо́дное разви́тие его́ индивидуа́льных спосо́бностей, **стои́т на пра́вильном пути́.**

Счастли́вого ПУТИ́! (*или* счастли́вый путь!).
Happy journey, *bon voyage*.
«Ну, поє́демте, Илья́ Ники́тич. До свида́ния, Со́ня! до свида́ния Ве́ра!» — «До свида́ния! **Счастли́вого пути́** и хоро́ших успе́хов в рабо́те в но́вом го́роде».

Жи́зненный ПУТЬ.
Life.
Её **жи́зненный путь** — э́то терпе́ние и страда́ние.

Пробива́ть, проби́ть себе́ ПУТЬ (*или* доро́гу).
To make one's way in life, to reach success in one's walk of life.
До́ктор Че́хов **про́бил себе́ путь** к значи́тельному успе́ху.

Прямо́й ПУТЬ.
Direct way.
Зна́ние и труд — **прямо́й путь** к успе́ху.

Счастли́вый ПУТЬ!
см. Счастли́вого ПУТИ́!

Разби́ть в ПУХ (и прах).
To defeat utterly.
На́ша артилле́рия **разби́ла в пух (и прах)** наступа́ющие та́нки враго́в.

Ни ПУ́ХА ни пера́!
Good luck!
Ду́маю, мой друг, мы ско́ро опя́ть уви́димся, а пока́ — **ни пу́ха ни пера́!**

Стреля́ть из ПУШЕК по воробья́м.
To break a butterfly on the wheel.
«Ми́ша, ку́пим э́то хоро́шее зда́ние для на́шей продукто́вой ла́вки». — «Нет, Со́ня. Нельзя́ **стреля́ть из пу́шек по воробья́м**».

Как из ПУШКИ.
1. **On time, punctually.**
2. **Suddenly, unexpectedly.**
1. (Председа́тель колхо́за) зако́нчил так — В пять часо́в утра́ всем быть на по́ле, **как из пу́шки.**
С. Антонов, Весна
2. Мой друг, **как из пу́шки,** яви́лся ко мне в день мои́х имени́н.

Своди́ть, свести́ с ПЬЕДЕСТА́ЛА.

To deprive somebody of importance, to decrown somebody.
Ста́лина **свели́ с пьедеста́ла** ско́ро по́сле его́ сме́рти.

Мертве́цки ПЬЯН.
Dead drunk.
Несча́стный стари́к был **мертве́цки пьян.**

Го́рький ПЬЯ́НИЦА.
A confirmed drunkard, a sot.
Жить с э́тим **го́рьким пья́ницей** она́ да́льше не могла́ и развела́сь с ним.

Будь он семи́ ПЯДЕ́Й во лбу.
If he be a Solomon.
Будь он семи́ пяде́й во лбу, — реши́ть э́того вопро́са он не смо́жет.

Ахилле́сова ПЯТА́.
Heel of Achilles.
В его́ о́бществе нельзя́ говори́ть о ма́леньких ро́стом лю́дях: э́то его́ **ахилле́сова пята́.**

Ходи́ть по ПЯТА́М.
To follow on somebody's heels, to tread on somebody's heels.
Ма́ленький Ва́ничка всё вре́мя **хо́дит** за ма́терью **по пята́м** и задаёт ей вопро́с за вопро́сом.

Лиза́ть ПЯ́ТКИ *кому-л.*
см. Лиза́ть РУКИ *кому-л.*

Показа́ть ПЯ́ТКИ.
To take flight, to flee.
За во́ром гна́лись, а вор **показа́л пя́тки.**

Удира́ть так, что ПЯ́ТКИ сверка́ют.
To show a clean pair of heels, to take to one's heels.
От испу́га ма́льчик **удира́л так, что пя́тки сверка́ли.**

Семь ПЯ́ТНИЦ на неде́ле.
One changes one's mind frequently.
Он обеща́л мне э́то сде́лать, но я ему́ не о́чень ве́рю: у него́ **семь пя́тниц на неде́ле.**

Роди́мое ПЯТНО́.
Birthmark, mole.
У их до́чери чёрное **роди́мое пятно́** на лице́.

Р

РАБО́ТА (*или* де́ло) гори́т в рука́х.
The work melts in one's hands.
Ива́н Ива́нович — хоро́ший рабо́тник. **Рабо́та** так и **гори́т** у него́ **в рука́х.**

Ажу́рная РАБО́ТА.
Open work, delicate work.
Рису́нок гор на горизо́нте — **ажу́рная рабо́та** изве́стного худо́жника.

Сизи́фова РАБО́ТА (*или* рабо́та Сизи́фа, Сизи́фов труд).
Sisyphean toil.
Всё свобо́дное вре́мя, кото́рое у меня́ остава́лось, шло на писа́ние рома́на. То была́ **рабо́та Сизи́фа,** потому́ что приходи́лось по де́сять раз переде́лывать ка́ждую главу́, меня́ть план, вводи́ть но́вых лиц, вставля́ть но́вые описа́ния и т. д.
Мамин-Сибиряк, Черты из жизни Пепко, 10.

Смотре́ть за РАБО́ТАМИ.
To superintend work.
Его́ до́лжность — **смотре́ть за рабо́тами** на лесопи́льном заво́де.

РАБО́ТАТЬ над собо́й.
To perfect oneself.
Нет совершённого челове́ка ни в како́й о́трасли зна́ния и труда́. Поэ́тому ка́ждый до́лжен **рабо́тать над собо́й,** что́бы станови́ться лу́чшим.

Брать, взять в РАБО́ТУ *кого-л.*
To make somebody behave himself.
Роди́телям сообщи́ли, что их сын прогу́ливает уро́ки, и они́ реши́ли **взять** его́ **в рабо́ту.**

Всё РАВНО́.
1. **It is all the same; it makes no difference.**
2. **Regardless.**

1. Мне **всё равно́,** полу́чит он повыше́ние и́ли нет.
2. Он **всё равно́** полу́чит повыше́ние.

РАД — радёхонек (*или* рад радёшенек).
Pleased as Punch.
Заключённый был **рад-радёхонек** поговори́ть со свое́й жено́й.

РАД-радёшенек.
см. РАД-радёхонек.

Хоть РАД, хоть не рад (*или* рад не рад).
Willy-nilly.
Умрёшь **хоть рад, хоть не рад.**

Быть вне себя́ от РА́ДОСТИ.
To be overjoyed.
Ната́ша была́ **вне себя́ от ра́дости,** узна́в, что война́ око́нчена. Тепе́рь е́ю овладе́ла одна́ мысль: когда́ вернётся её жени́х Пе́тя?

РАЗ за ра́зом.
Time after time, regularly.
Пу́шечные снаря́ды **раз за ра́зом** па́дали и разрыва́лись за горо́й в окре́стностях го́рода.

Вот тебе́ РАЗ.
That's done it! Oh, really!

— Слыха́ли, Ни́на? Со́ня выхо́дит за́муж!
— **Вот тебе́ раз!** За кого́?

Как РАЗ.
Just, exactly.
Такси́ останови́лось **как раз** пе́ред на́шим до́мом.

Как РАЗ то, что мне, тебе́ и т. д. ну́жно.
Just what I, you, etc, want; the very thing I, you, etc., want.
Она́ до́лго иска́ла в магази́не подходя́щее ей пла́тье, наконе́ц нашла́ и сказа́ла продавщи́це: **«Как раз то, что мне ну́жно».**

Не РАЗ.
Many times.
Смени́т **не раз** млада́я де́ва мечта́ми лёгкие мечты́.
Пушкин, Евгений Онегин.

Прийти́ (*или* яви́ться и т. п.) к ша́почному РАЗБО́РУ.
To come after the feast, to arrive when the show is over.
Инжене́р с жено́й **пришли́** на вечери́нку **к ша́почному разбо́ру,** так как у них был неожи́данный гость, и не́ с кем бы́ло его́ оста́вить.

РАЗВОРО́Т.
Growth, development.
Замеча́телен **разворо́т** америка́нского промы́шленного строи́тельства!

Завяза́лся РАЗГОВО́Р.
The conversation has started.
Почему́-то все молча́ли. Но как то́лько вошла́ Ма́ша, **завяза́лся разгово́р.**

Без (да́льних, ли́шних) РАЗГОВО́РОВ.
Without further arguments, and no argument!
«Вези́ меня́ в го́род неме́дленно! **Без разгово́ров!»** — приказа́л крестья́нину председа́тель сельсове́та.

В РАЗГО́НЕ.
To be out, to be running about.
Григо́рий Макси́мович, секрета́рь исполни́тельного комите́та, веле́л призва́ть посы́льного, но ему́ сказа́ли, что посы́льный **в разго́не** и бу́дет обра́тно че́рез полчаса́.

Нет РАЗМА́ХА.
One is not a person of (wide-ranging) enterprise.
— Я давно́ вам хоте́л сказа́ть, что у вас, това́рищ Коша́чий, **нет разма́ха.** Банке́т, так банке́т.
И. Ильф и Е. Петров, Широкий размах.

РАЗНОСИ́ТЬ, разнести́.
1. **To spread.**
2. **To communicate/let many people know.**
3. **To scatter/disperse.**
4. **To smash/destroy.**
5. **To get fat.**
6. **To be swollen.**

1. Пле́нные **разнесли́** инфекцио́нную боле́знь сыпно́го ти́фа.
2. — Я зна́ю, — среди́ нас есть прису́тствующие, кото́рые ны́нче же но́чью **разнесу́т** по го́роду мои́ слова́.
А. Н. Толстой, Аэлита.
3. Си́льный ве́тер **разнёс** облака́, и со́лнце опя́ть горе́ло на́ небе.
4. Бо́мба разорва́лась у са́мого до́ма и **разнесла́** его́ в ще́пки.
5. Э́тому нача́льнику не пло́хо живётся: смотри́те, как его́ **разнесло́.**
6. У него́ пра́вую ру́ку **разнесло́** от инфе́кции.

Хоть РАЗОРВИ́СЬ!
The impossibility to accomplish too many duties simultaneously.
У меня́ рабо́ты **хоть разорви́сь!**

Земно́й РАЙ.
Earthly paradise.
Ю́ноше каза́лось, что где-то мо́жно жить лу́чше, чем у роди́телей, что где-то есть **земно́й рай.** С тако́й мы́слью он, оста́вив родно́й дом, пошёл иска́ть **земно́го ра́я.**

Когда́ РАК сви́стнет.
(*Literally:* When the lobster will whistle). Never.
Он бу́дет президе́нтом Аме́рики, **когда́ рак сви́стнет.**

Кра́сный как РАК.
см. Покрасне́ть как РАК.

Покрасне́ть как РАК (*или* кра́сный как рак).
To become red as a lobster.
Си́доров от си́льного волне́ния **покрасне́л как рак.**

Сиде́ть как РАК на мели́.
(*Literally:* To sit like a crawfish aground). **To be in great difficulties, to be in a quandary.**
Э́тот коммерса́нт обанкро́тился и тепе́рь **сиди́т как рак на мели́.**

Показа́ть *кому-л.*, где РА́КИ зиму́ют.
To make it hot for somebody.
Э́того оскорбле́ния он никогда́ не забу́дет. Придёт вре́мя, и он **пока́жет** оскорби́телю, **где ра́ки зиму́ют.**

По́лзать, ползти́ РА́КОМ.
To go down on one's hands and knees.
Разве́дчику пришло́сь **ползти́ ра́ком** я́рдов сто.

Держа́ть (*или* вести́) себя́ в РА́МКАХ прили́чия.
To behave oneself.

— Гри́ша, **держи́ себя́** всегда́ и везде́ **в ра́мках прили́чия,** — напомина́л оте́ц сы́ну.

РА́НО и́ли по́здно.

Some time or other, sooner or later, early or late.

Ибраги́м чу́вствовал, что судьба́ его́ должна́ перемени́ться и что связь его́ **ра́но и́ли по́здно** могла́ дойти́ до све́дения гра́фа Д.

Пушкин, Арап Петра Великого.

РА́СКИСА́ТЬ, раски́снуть.

To lose cheerfulness, to become limp/sluggish, to sour on something.

По́сле пе́рвого пораже́ния не́которые бойцы́ отря́да так **раски́сли,** что ра́ды бы́ли бы сда́ться неприя́телю.

РАСКЛЕ́ИВАТЬСЯ, раскле́иться.

1. **To take a bad turn, to go wrong.**
2. **To get ill.**

1. Их дру́жба совсе́м **раскле́илась.**
2. Ста́рый Сидоре́нко немно́жко **раскле́ился** — не ест, не пьёт и да́же ни с кем не говори́т.

РАСКОЛА́ЧИВАТЬ, расколоти́ть.

1. **To beat up, to defeat.**
2. **To wound somebody by a strong hit.**

1. В дра́ке он **расколоти́л** своего́ проти́вника.
2. Си́льным уда́ром он **расколоти́л** ему́ го́лову.

РАСКУСИ́ТЬ.

1. **To get to the core/heart.**
2. **To see somebody through, to get somebody's measure.**

1. Все говоря́т, спо́рят друг с дру́гом, и тру́дно **раскуси́ть,** в чём де́ло.
2. Мы его́ ещё не **раскуси́ли,** но де́льный, де́льный челове́к.

Тургенев, Новь.

РАСПИВА́ТЬ, распи́ть.

To drink.

Па́вел принёс с собо́й буты́лку хоро́шей вишнёвки, и мы её **распи́ли.**

РАСПЛА́ТА.

Punishment, settling of scores.

Наступи́л вели́кий час **распла́ты.** Нам вручи́л ору́жие наро́д.

Исаковский, До свидания, города и хаты.

РАСПЛА́ЧИВАТЬСЯ, расплати́ться *с кем-л.*

To get even with somebody.

Геро́й э́того рома́на реши́л **расплати́ться** с угнета́телями наро́да.

РАСПЛЫВА́ТЬСЯ, расплы́ться (*или* расползáться, расползти́сь).

1. **To lose distinct outline.**
2. **To run to fat, to grow obese.**

1. Она́ стоя́ла у две́ри и ещё до́лго всма́тривалась в су́мрак, где **расплыла́сь** фигу́ра её жениха́.
2. По́сле того́ как Ма́ша вы́шла за́муж, утра́тила стро́йность фигу́ры, располне́ла, ко́ротко говоря́, **расплыла́сь.**

РАСПОЛЗА́ТЬСЯ, расползти́сь.

1. см. РАСПЛЫВА́ТЬСЯ, расплы́ться.
2. см. РАСПЛЫВА́ТЬСЯ, расплы́ться.
3. **To ravel out.**

Ва́не ну́жны́ но́вые боти́нки: э́ти уже́ совсе́м **расползли́сь.**

РАСПОЛОЖЕ́НИЕ (*или* состоя́ние) ду́ха.

Mood/humor.

Поговори́те с ним тепе́рь: он в о́чень хоро́шем **расположе́нии ду́ха.**

В РАСПОРЯЖЕ́НИИ.

At somebody's disposal/command.

Име́ющиеся **в распоряже́нии** прави́тельства вое́нные лазаре́ты не смо́гут вмести́ть всего́ коли́чества ра́неных.

А. Н. Толстой, Сестры.

Коро́ткая РАСПРА́ВА.

A short shrift.

— А с тобо́й, — обраща́ется она́ к Ма́рфе, — **распра́ва коро́ткая!** Сейча́с же собира́йся на ско́тную, инде́ек пасти́!

Салтыков-Щедрин, Пошехонская старина.

РАСПУ́ТЫВАТЬ, распу́тать.

To puzzle out, to make clear.

Э́то о́чень сло́жный вопро́с и его́ тру́дно **распу́тать.**

БЫТЬ (*или* стоя́ть и т.п.) на РАСПУ́ТЬЕ.

To be in the state of doubt/hesitation.

Она́ **стоя́ла на распу́тье:** с одно́й стороны́, её увлека́л мона́шеский о́браз жи́зни, а с друго́й — жела́ние вы́йти за́муж.

РАСПУШИ́ТЬ.

To give a good scolding.

Мать **распуши́ла** дочь за упря́мство.

РАССВЕ́Т.

Early period.

Э́то был **рассве́т** сла́вы э́того учёного.

РАССКА́ЗЫВАЙ кому́-нибудь друго́му.

Tell that to the (horse-) marines.

«Слыха́л, Серге́й Андре́евич? На́шего сосе́да вы́брали городски́м головой!» — **«Расска́зывай кому́-нибудь друго́му».**

РАССКА́ЗЫВАТЬ (*или* говори́ть и т. п.) из пя́того в деся́тое (*или* с пя́того на деся́тое).

To tell a story in snatches.

Расскажи́те, пожа́луйста, об э́том собы́тии подро́бно и то́чно, а не **из пя́того в деся́тое.**

РАССЛАВЛЯ́ТЬ, рассла́вить.

1. **To cry from the housetops.**
2. **To praise to the skies.**

1. Он её так **рассла́вил** за её нече́стность, что она́ не могла́ показа́ться ме́жду людьми́.
2. И́мя молодо́го поэ́та бы́ло **рассла́влено** по́сле напеча́тания его́ пе́рвого стихотворе́ния.

Говори́ть, поговори́ть с РАССТАНО́ВКОЙ.
To speak without haste, to speak in measured tones.
Ско́ро бу́дет неде́ля, как у́мер сын, а он ещё путём не говори́л ни с кем . . . Ну́жно **поговори́ть с расстано́вкой.**
Чехов, Тоска.

Держа́ть *кого-л.* на изве́стном (*или* почти́тельном) РАССТОЯ́НИИ.
To avoid close relationship.
Есть лю́ди, с кото́рыми нельзя́ жить в бли́зких отноше́ниях. Их лу́чше всегда́ **держа́ть на изве́стном расстоя́нии.**

Держа́ться на почти́тельном (*или* изве́стном) РАССТОЯ́НИИ.
To keep at a respectable distance, to keep aloof.
Студе́нт до́лжен всегда́ **держа́ться на почти́тельном расстоя́нии** в свои́х отноше́ниях с профе́ссором.

Быть в РАССТРО́ЙСТВЕ.
To feel/be upset, to be put out.
С ней невозмо́жно говори́ть: како́е-нибудь сло́во ей не понра́вится — она́ уже́ **в расстро́йстве.**

Быть в по́лном РАССУ́ДКЕ.
To be in full possession of one's faculties.
Она́ несёт отве́тственность за свои́ слова́, так как она́ **была́ в по́лном рассу́дке,** когда́ их вы́сказала.

РАССУ́ДОК помрачи́лся.
см. УМ помрачи́лся.

Помрачи́ть РА́ССУДОК.
см. Помрачи́ть УМ.

РАССЧИТЫВАТЬСЯ, рассчита́ться *с кем-л.*
To take vengeance of somebody.
Он реши́л **рассчита́ться** со свои́м проти́вником за его́ ко́лкие эпигра́ммы.

РАСФРАНЧЁННЫЙ.
Overdressed, dandified, dressed up to kill, dressed up to the nines.
Изумру́дов сиде́л в кре́сле, **расфранчённый,** мя́гкий и благоуха́нный.
Панова, Времена года.

Быть в РАСЧЁТЕ *с кем-л.*
To be quits/even with somebody.
Я о́чень дово́лен, что я с ва́ми **в расчёте;** поэ́тому я в споко́йном настрое́нии.

РВАТЬ и мета́ть.
To be in a rage.
В тече́ние игры́ оби́дели офице́ра и он так **рвал и мета́л,** что игра́ прекрати́лась и все ушли́.

Объекти́вная РЕА́ЛЬНОСТЬ.
Objective reality.
Объекти́вная реа́льность — э́то то, что существу́ет вне созна́ния и незави́симо от него́.

Библиографи́ческая РЕ́ДКОСТЬ.
A rare book/publication.
Я могу́ прода́ть вам э́ту кни́гу, но она́ сто́ит о́чень до́рого; как зна́ете, э́то **библиографи́ческая ре́дкость.**

Музе́йная РЕ́ДКОСТЬ.
Museum piece.
Эта карти́на — **музе́йная ре́дкость.**

Надое́сть ху́же го́рькой РЕ́ДЬКИ.
To make sick and tired, to bore to death.
Эти рекла́мные объявле́ния, передава́емые по ра́дио и телевиде́нию, **надое́ли** ему́ **ху́же го́рькой ре́дьки.**

В РЕЗУЛЬТА́ТЕ.
As a result.
В результа́те автомоби́льной катастро́фы два челове́ка бы́ли уби́ты и оди́н ра́нен.

Моло́чные РЕ́КИ и кисе́льные берега́.
A free and untrammelled life.
Безземе́льных, голо́дных люде́й мани́ла мечта́ **о моло́чных река́х и кисе́льных берега́х.**
Соколов-Микитов, В горах Тянь-Шаня.

Ли́ться РЕКО́Й.
To be abundant.
Пра́вда, обе́д его́ состоя́л из двух и́ли трёх блюд, но шампа́нское **лило́сь** прито́м **реко́ю.**
Пушкин, Выстрел.

РЕКОМЕНДОВА́ТЬСЯ.
To introduce oneself.
В пе́рвое воскресе́нье по её прие́зде (я) отпра́вился по́сле обе́да в село́ — **рекомендова́ться** их сия́тельствам.
Пушкин, Выстрел.

Стать (*или* перейти́, перевести́ и т. п.) на РЕ́ЛЬСЫ *чего-л.*
To take the stand/road.
Соединённые Шта́ты Аме́рили **ста́ли на ре́льсы** защи́ты свобо́ды и прав челове́ка и наро́дов.

РЕШЕНО́ и подпи́сано.
The unchangeable decision has been made.
Я сейча́с уе́ду к себе́. **Решено́ и подпи́сано.**
Чехов, Дядя Ваня.

Сиде́ть (*или* оказа́ться и т. п.) за РЕШЁТКОЙ.
To be/stay, in prison.

Говоря́т, что он неви́нно **сиди́т за решёткой.**

Посади́ть за РЕШЁТКУ.
To put into prison.
На суде́ доказа́ли его́ вину́ и **посади́ли за решётку.**

Носи́ть РЕШЕТО́М во́ду.
To do something useless, to waste the time.
— О чём он говори́т, Ива́н Ива́нович?
— Не зна́ю. Он уже́ полчаса́ **но́сит решето́м во́ду** и ещё ничего́ конкре́тного не сказа́л.

РО́ВНО ничего́.
Absolutely nothing.
— Что вы зна́ете о революцио́нном движе́нии в По́льше в 19-ом ве́ке?
— **Ро́вно ничего́!**

Согну́ть (*или* скрути́ть в бара́ний) РОГ.
To make somebody knuckle under/down.
Ива́н Гро́зный **согну́л** боя́р **в бара́ний рог** созда́нием так называ́емой опри́чнины.

Наставля́ть, наста́вить РОГА́ *кому-л.*
1. **To be unfaithful to (a) husband.**
2. **To be a lover of somebody's wife.**
1. Па́влу да́же никогда́ не сни́лось, что его́ жена́ **наста́вит** ему́ **рога́.**
2. Я женю́сь, а Ивано́в **рога́ бу́дет наставля́ть** мне.
Горький, Фальшивая монета.

Слома́ть (*или* облома́ть) РОГА́ *кому-л.*
To humiliate somebody.
Ей на́до бы́ло бы **облома́ть рога́.** Она́ наха́лка, высо́кого мне́ния о себе́, а прито́м глупа́, да́же о́чень глупа́.

Челове́ческий (*или* людско́й) РОД.
Mankind, humankind, human race.
Ка́ждый до́лжен труди́ться так, чтоб его́ труд был в по́льзу **челове́ческого ро́да.**

Своего́ РО́ДА.
In a certain degree, from its own point of view.
В ней (Со́фье), при всей её су́хости, при недоста́тке жи́вости и воображе́ния, была́ **своего́ ро́да** пре́лесть, пре́лесть прямоду́шия, че́стной и́скренности и чистоты́ душе́вной.
Тургенев, Яков Пасынков.

В не́котором РО́ДЕ.
To some degree/extent.
Он **в не́котором ро́де** разочарова́лся в свое́й наде́жде на по́мощь друзе́й.

В своём РО́ДЕ.
In his, its, etc., way.
До́ктор Андре́й Ефи́мыч Ра́гин — замеча́тельный челове́к **в своём ро́де.**
Чехов, Палата №6.

Что-то в э́том РО́ДЕ.
Something of this sort, something to that effect.
Не по́мню, ско́лько ему́ тогда́ бы́ло лет: пятьдеся́т пять ... пятьдеся́т шесть ... мо́жет быть, и пятьдеся́т семь; ну, **что-то в э́том ро́де.**

Без РО́ДУ и пле́мени (*или* без ро́ду, без пле́мени).
Without kith or kin.
Интере́сен был расска́з Са́ши о том, как он познако́мился на корабле́ с челове́ком **без ро́ду и пле́мени,** быва́вшем почти́ во всех стра́нах ми́ра.

Кому́ на РОДУ́ напи́сано.
Someone was preordained.
Ему́ **на роду́ напи́сано** быть вели́ким компози́тором.

Ни РО́ДУ ни пле́мени.
To be single.
У него́ **ни ро́ду ни пле́мени.** Эта ма́ленькая кварти́ра и кни́ги — его́ це́лый мир.

О́т РОДУ.
From birth.
Моему́ де́душке се́мьдесят во́семь лет **о́т роду.**

По РОЖДЕ́НИЮ.
By birth.
Я не петербу́ржец **по рожде́нию,** но жил в Петербу́рге с ра́ннего де́тства.
Гаршин, Петербургские письма.

Ко́рчить РО́ЖИ.
см. Ко́рчить ГРИМА́СЫ.

Оста́лись РО́ЖКИ да но́жки.
Very little was left.
Го́сти съе́ли почти́ всё. **Оста́лись ро́жки да но́жки.**

Лезть (*или* пере́ть) на РОЖО́Н.
To ask for trouble.
Она́ свои́м насто́йчивым домога́тельством призна́ния себе́ того́, что ей не полага́ется, **ле́зет на рожо́н.**

Быть (*или* выступа́ть, явля́ться и т. п.) в РО́ЛИ *кого-л.*
To play the part of somebody.
Мне ка́жется, что он **выступа́л** тогда́ **в ро́ли** председа́теля собра́ния.

Это не игра́ет РО́ЛИ.
It is of no importance; it doesn't matter.
«Когда́ мне на́до написа́ть проше́ние, сего́дня и́ли за́втра?» — **«Это не игра́ет ро́ли,** мо́жете написа́ть сего́дня и́ли за́втра, и́ли да́же послеза́втра».

Войти́ в РОЛЬ.
To fit oneself into the situation.
Как измени́лася Татья́на!
Как твёрдо **в роль** свою́ **вошла́!**
Как утеси́тельного са́на

Приёмы ско́ро приняла́!
Пушкин, Евгений Онегин.

Игра́ть, сыгра́ть РОЛЬ.
1. **To have an importance/significance.**
2. **To have influence.**
3. **To be as . . . .**
1. Его́ зна́ет весь университе́т, он **игра́ет** там **роль.**
2. По да́нным Че́ка, он **игра́л** нема́лую **роль** в бе́лом за́говоре.
3. На вечери́нке Со́ня **игра́ла роль** хозя́йки.

Бульва́рный РОМА́Н.
Cheap novel, penny-dreadful, shilling-shocker.
«Не жа́лко ли тебе́ вре́мени чита́ть тако́й **бульва́рный рома́н?»** — спроси́л он племя́нника Пе́тю.

Ма́ковой РОСИНКИ (*или* ни роси́нки) во рту не́ было.
One has not had a morsel of food.
Не удиви́тельно, что она́ так пло́хо себя́ чу́вствует: у неё весь день **ма́ковой роси́нки во рту не́ было.**

В РОСТ челове́ка.
As tall as a man.
Стоя́л на своём по́ле и любова́лся золото́й пшени́цей, что была́ **в рост челове́ка.**

Во весь РОСТ.
1. **Drawing oneself up.**
2. **At full-length (portrait, photography, etc.).**
3. **In all magnitude, demanding an urgent decision.**
1. По́сле не́скольких мину́т соверше́нного молча́ния в за́ле, Кра́вченко встал **во весь рост** и гро́мко заговори́л.
2. В его́ ко́мнате висе́л краси́вый портре́т **во весь рост** президе́нта Вашингто́на.
3. Подня́лся **во весь рост** огро́мной ва́жности вопро́с о полити́ческом просвеще́нии о́бласти.
Фурманов, Мятеж.

Пойти́ (*или* тро́нуться) в РОСТ.
To start growing (when speaking of plants).
Пошёл дождь, и по́сле дождя́ трава́ в саду́ **пошла́ в рост.**

Шить, сшить (*или* покупа́ть, купи́ть и т. п.) на РОСТ.
To sew (buy, etc.), to allow for growth.
Роди́тели всегда́ **покупа́ют** свои́м де́тям оде́жду **на рост**.

По РО́СТУ.
Suitable size.
Ему́ купи́ли пальто́ дорого́е и **по ро́сту.**

Одни́м РО́СЧЕРКОМ пера́.
With a stroke of the pen.
Заве́дующий райо́нным отде́лом наро́дного образова́ния **одни́м ро́счерком пера́** назна́чил Орло́ва дире́ктором десятиле́тки.

В РОТ не брать.
Not to touch.
Он ни во́дки, ни вина́ **в рот не берёт.**

В РОТ не возьмёшь.
Impossible to swallow.
В э́той таве́рне даю́т соси́ски, что их и **в рот не возьмёшь.**

В РОТ не идёт.
Not to be able to eat.
Ли́за, не принужда́й Ва́ню есть, е́сли он не хо́чет; знать, **в рот не идёт.**

Зажима́ть, зажа́ть (*или* зама́зывать, зама́зать) РОТ *кому-л.*
To stop somebody's mouth.
Он наве́рно продолжа́л бы свои́ бестолко́вые до́воды, но ему́ **зажа́ли рот.**

Класть в РОТ *кому-л.*
To explain something to the smallest detail.
Не́которые студе́нты лю́бят э́того профе́ссора, потому́ что он всё **кладёт** им **в рот.**

Крича́ть (*или* ора́ть) во весь РОТ.
To shout/yell very loudly/at the top of one's voice.
Де́вочка испуга́лась соба́чки и от стра́ха **крича́ла во весь рот.**

Разева́ть, рази́нуть РОТ.
To have the mouth wide open in a state of expectation, astonishment, or eager attention.
Уви́дя неожи́данного го́стя, она́ **рази́нула рот** от удивле́ния.

Не сметь РТА рази́нуть (*или* откры́ть, раскры́ть).
To be afraid to express one's opinion.
Его́ так запуга́ли в тече́ние испыта́тельного сро́ка, что он **не смел рта рази́нуть.**

Оста́вить в одно́й РУБА́ШКЕ.
To bring to ruin.
Четырёхле́тняя война́ **оста́вила** его́ **в одно́й руба́шке.**

Оста́ться в одно́й РУБА́ШКЕ.
To ruin oneself.
Тот, кто ча́сто игра́ет в аза́ртные и́гры, мо́жет проигра́ть всё своё иму́щество и **оста́ться в одно́й руба́шке.**

Роди́ться в РУБА́ШКЕ.
To be born with a silver spoon in one's mouth.
— Я не люблю́ игра́ть в ка́рты с э́тим адвока́том, потому́ что он всегда́ выи́грывает.
— Да, он **роди́лся в руба́шке.**

Кро́вный РУБЛЬ.
см. Кро́вные ДЕ́НЬГИ.

В РУЖЬЁ.
To arms!
Команди́р дал прика́з: **В ружьё!**

Призыва́ть, призва́ть под РУЖЬЁ.
To call up for military service, to call to the colors.
Борьба́ на два фро́нта прину́дила **призва́ть под ружьё** всех боеспосо́бных мужчи́н.

Вали́ться из РУК.
1. **Not to manage, to be clumsy.**
2. **Not to have the hearth to do anything.**
1. Ты, Ни́на, не могла́ бы быть официа́нткой в рестора́не: у тебя́ всё **ва́лится из рук.**
2. Лу́чше бы́ло бы не принима́ть его́ на э́ту рабо́ту: он не заинтересо́ван е́ю, у него́ всё **ва́лится из рук.**

Знать из ве́рных РУК.
To know something from good authority/a reliable source.
— Ве́ра Алексе́евна, скажи́те пожа́луйста, пра́вда ли э́то, что бу́дет нало́г на безде́тность? Ваш муж наве́рно зна́ет.
— Да, пра́вда, он мне об э́том вчера́ говори́л и сказа́л, что он **зна́ет** об э́том **из ве́рных рук.**

Из вторы́х РУК.
Secondhand.
Я получи́л э́ту кни́гу **из вторы́х рук**, потому́ могу́ прода́ть вам её о́чень дёшево.

Из пе́рвых РУК.
Firsthand.
Это достове́рный факт, потому́ что я узна́л о нём **из пе́рвых рук.**

Из РУК вон пло́хо.
Thoroughly bad, beneath criticism.
Это сочине́ние напи́сано **из рук вон пло́хо.**

Как без РУК.
To feel helpless.
Без э́той кни́ги он так, **как без рук.**

Отби́ться от РУК.
To get/be out of hand, not to be obedient any longer.
Их мла́дший сын **отби́лся от рук,** переста́л ходи́ть в шко́лу и, ка́жется, собира́ется жени́ться.

Передава́ть, переда́ть (*или* переходи́ть, перейти́) из РУК в ру́ки (*или* с рук на́ руки).
To change hands.
Эта да́ча **переходи́ла из рук в ру́ки.**

Смотре́ть (*или* гляде́ть) из *чьих* РУК.
To depend upon someboly financially.
Был го́лод. Ка́ждый кусо́к хле́ба на́до бы́ло **смотре́ть** из чужи́х **рук.**

Сойти́ с РУК.
To get away with something.
Наде́юсь, что э́ти прогу́лы **сойду́т** мне **с рук.**

С РУК сбыть (*или* спусти́ть).
To get off one's hands, to get rid.
Ты поду́мал бы лу́чше, как пшени́цу **с рук сбыть.**
Гоголь, Сорочинская ярмарка.

РУКА́.
Handwriting.
— Ма́ша, кто, по-тво́ему, писа́л э́тот а́дрес, Та́ня?
— Нет, э́то не её **рука́.**

РУКА́ не дро́гнет.
One will not hesitate to do something; one has no scruples about doing something.
У него́ **рука́ не дро́гнет** подписа́ть э́тот несправедли́вый пригово́р.

РУКА́ не поднима́ется.
One can't bring oneself to do something.
Офице́р прибли́зился к нему́ и сказа́л: ви́жу, что у тебя́ **рука́ не поднима́ется** стреля́ть по неприя́телю.

РУКА́ о́б руку.
1. **Arm in arm.**
2. **Together, in a friendly manner.**
1. Я ви́дел, как Пётр и Ольга шли **рука́ о́б руку.**
2. Мы должны́ соедини́ть все на́ши си́лы и **рука́ о́б руку** идти́ к на́шей о́бщей це́ли.

Не РУКА́ *кому-л.*
One ought not.
Не рука́ студе́нту так вести́ себя́ в кла́ссе.

Пра́вая РУКА́ *кого-л.*
Somebody's right hand, somebody's best assistant, confidential person.
Инжене́р Ро́зенталь — о́чень спосо́бный челове́к. Он **пра́вая рука́** заве́дующего заво́дом. Не удиви́тельно, что на заво́де всё идёт так гла́дко.

Спустя́ РУКАВА́.
Negligently, in a slipshod manner.
Свою́ рабо́ту студе́нты вы́полнили **спустя́ рукава́.**

Держа́ть в ежо́вых РУКАВИ́ЦАХ.
To rule somebody with a rod of iron, to ride roughshod over somebody.
Учителя́ сове́товали Андре́ю Андре́евичу, чтоб он **держа́л** сы́на **в ежо́вых рукави́цах.**

Дать по РУКА́М *кому-л.*
To punish somebody in order to wean him from something.
Вчера́ учени́к Ники́та Хроме́ц прогуля́л уро́ки и за то оте́ц **дал** ему **по рука́м:**

Ники́те весь ме́сяц нельзя́ ходи́ть в кино́.

По РУКА́М!

A bargain! 'Tis a bargain! Done!

Ну, зна́чит, **по рука́м!** Прекра́сно, поздравля́ю.

По РУКА́М ходи́ть (*или* гуля́ть и т. п.).

To spread by going from one to another.

Эти листо́вки **по рука́м ходи́ли,** и мно́го гра́ждан их чита́ло.

Прибра́ть (*или* подобра́ть, пригрести́ и т.п.) к РУКА́М.

To appropriate, to lay one's hands on.

Все э́ти ве́щи он **прибра́л к рука́м** во вре́мя войны́.

Связа́ть по РУКА́М и нога́м (*или* связа́ть ру́ки).

To bind somebody hand and foot, to deprive somebody of the possibility to act freely.

Но́вые зако́ны **связа́ли по рука́м и нога́м** владе́льцев промы́шленных предприя́тий.

Спу́тывать, спу́тать по РУКА́М и нога́м.

To tie somebody's hand and foot, to deprive somebody of a free hand.

К сожале́нию, не могу́ вам помо́чь: меня́ **спу́тали по рука́м и нога́м.**

РУКА́МИ и нога́ми (*или* с рука́ми и нога́ми; с рука́ми, нога́ми).

1. **Willingly/gladly, with pleasure.**
2. **Wholly, entirely.**

1. «Хоте́ли б вы получи́ть до́лжность письмоводи́теля в на́шем учрежде́нии?» — **«Рука́ми и нога́ми».**
2. Alibi выдаёт его́ **с рука́ми и нога́ми.**

Чехов, Шведская спичка.

РУКА́МИ и нога́ми отбива́ться (*или* отма́хиваться и т. п.).

To oppose absolutely, to resist definitely.

Это стра́нно! Его́ хотя́т предложи́ть в прези́диум, а он **отбива́ется** от э́того **рука́ми и нога́ми.**

Брать, взять го́лыми РУКА́МИ.

To seize without making special effort.

По́сле пе́рвого пораже́ния неприя́тель впал в па́нику и на́ши войска́ **бра́ли** его́ города́ и сёла **го́лыми рука́ми.**

Разводи́ть, развести́ РУКА́МИ.

To lift one's hands (in dismay), to spread one's hands, to make a helpless gesture.

У меня́ в па́мяти навсегда́ оста́нется печа́льная карти́на: она́ стои́т мо́лча над уби́тым му́жем и **разво́дит рука́ми.**

С пусты́ми РУКА́МИ.

Empty-handed.

Ива́н Калита́ е́здил на покло́н к тата́рскому ха́ну не с **пусты́ми рука́ми,** а с бога́тыми пода́рками.

Чужи́ми РУКА́МИ жар загреба́ть.

To make a cat's-paw of other people.

Есть лю́ди, кото́рые лю́бят **чужи́ми рука́ми жар загреба́ть.**

Быть (*или* находи́ться и т. п.) в одни́х РУКА́Х.

To belong to one person, to be under one management.

Заве́дование дела́ми э́того учрежде́ния должно́ **быть в одни́х рука́х.**

Быть в РУКА́Х.

1. **To be dependent on.**
2. **To be at somebody's disposal/command.**
3. **To be dominated by.**

1. «У тебя́ нет де́нег, ты без мое́й по́мощи в университе́те учи́ться не смо́жешь, ты **в** мои́х **рука́х»,** — сказа́л оте́ц сы́ну.
2. Почти́ весь перево́з че́рез Во́лгу **был** у него́ **в рука́х.**

Федин, Старик.

3. Ве́чером мы узна́ли, что го́род Та́рнов **был в рука́х не́мцев.**

Быть на РУКА́Х.

1. **To be somebody's charge.**
2. **To be available.**

1. По́сле сме́рти ма́тери Ле́рмонтов **был на рука́х** у свое́й ба́бушки.
2. Эти кни́ги у меня́ **на рука́х.**

Держа́ть в РУКА́Х.

To hold/have somebody well in hand, to have somebody under one's thumb.

Говоря́т, что она́ **де́ржит** своего́ му́жа **в рука́х.**

На РУКА́Х умере́ть.

To die in the presence of one who took firsthand care of the dying person.

Мать Па́вла сконча́лась в про́шлом ме́сяце. **Умерла́ на** его́ **рука́х.**

Носи́ть на РУКА́Х.

To make much of somebody, to make a fuss over somebody.

С детьми́, кото́рых **но́сят на рука́х,** всегда́ мно́го хлопо́т в шко́ле: они́ не лю́бят повинова́ться учителя́м и ду́мают, что шко́льный режи́м — э́то ка́ра для дете́й.

По РУКЕ́.

To fit.

Перча́тка **по руке́.**

РУ́КИ вверх!

Hands up!

Внеза́пно откры́лась дверь, апте́карь уви́дел двух банди́тов с револьве́рами в рука́х и услы́шал гро́мкий го́лос одного́ банди́та: **Ру́ки вверх!**

РУ́КИ ко́ротки.
One doesn't have enough authority to do something.
К сожале́нию, помо́чь вам не могу́, чтоб вас при́няли на слу́жбу: у меня́ **ру́ки ко́ротки.**

РУ́КИ опуска́ются, опусти́лись (*или* отняли́сь).
To lose heart.
Ра́ньше он был чле́ном не́скольких организа́ций, ходи́л на собра́ния, де́лал докла́ды, писа́л статьи́ для газе́т и журна́лов, а в э́том году́ по́сле тяжёлой боле́зни **ру́ки** у него́ **опусти́лись,** никто́ нигде́ его́ не ви́дит и о нём не слы́шит.

РУ́КИ прочь.
Hands off!
Я не хочу́, чтоб вы вме́шивались в мои́ дела́. **Ру́ки прочь** от мои́х дел!

РУ́КИ че́шутся *у кого-л.*
1. **One would like to fight/beat somebody.**
2. **One's fingers itch to do something.**
1. Я ви́жу, друг, что у тебя́ **ру́ки че́шутся** на э́того наха́ла и подлеца́.
2. Эй, возьми́ меня́ в рабо́тники, порабо́тать **ру́ки че́шутся!**

Н. Некрасов, Дума.

Брать, взять себя́ в РУ́КИ.
To pull oneself together, to take hold of oneself, to control oneself.
Сты́дно, Ма́ша, не плачь! Лю́ди смо́трят на тебя́. **Возьми́ себя́ в ру́ки.**

Взять в (свои́) РУ́КИ *кого-л.*
To make somebody be more disciplined, to make somebody be obedient, to keep a thoroughly strict hand over somebody.
Дире́ктор шко́лы посове́товал господи́ну Костова́лову, чтоб он **взял в ру́ки** своего́ сы́на, е́сли хо́чет, чтоб сын успе́шно ко́нчил шко́лу.

Выдава́ть, вы́дать на́ РУКИ.
To hand something over to somebody, to deliver something to somebody.
Посы́лку **вы́дали** господи́ну Ма́ртину **на́ руки.**

Греть, нагре́ть РУ́КИ.
To line one's coat, to make a fortune in an illegal way.
Во вре́мя пе́рвой мирово́й войны́ одни́ поги́бли, други́е обедне́ли, а тре́тьи **нагре́ли ру́ки.**

Забра́ть в РУ́КИ *кого-л.*
To put somebody into a subordinate position.
Того́, кто до́лжен подчини́ться, но не хо́чет, на́до **забра́ть в ру́ки.**

Золоты́е РУ́КИ.
To be master of one's craft, to have a clever pair of hands.
У э́того реме́сленника **золоты́е ру́ки.**

Лиза́ть РУ́КИ (*или* пя́тки, но́ги) *кому-л.*
To debase oneself before somebody, to be obsequious towards somebody, to degrade oneself.
Ру́ки, но́ги без зазре́нья Всем **лиза́л** как льстец
И семи́ лет от рожде́нья Был уж я подле́ц!

Н. Некрасов, Ростовщик.

Лома́ть РУ́КИ (*или* па́льцы).
To wring one's hands.
Ни́на Петро́вна **лома́ла ру́ки** с го́ря.

Наложи́ть на себя́ РУ́КИ.
To kill oneself, to lay hands on oneself, to commit suicide.
Что́бы не попа́сть в плен, он **наложи́л на себя́ ру́ки.**

Не знать, куда́ РУ́КИ деть.
To feel uneasy.
Степа́н Ио́сифович вошёл в кабине́т гра́фа. Ско́ро яви́лся граф и на́чал его́ расспра́шивать. Степа́н **не знал, куда́ ру́ки деть** в прису́тствии гра́фа.

Не с РУКИ́.
Inconveniently, not to the point.
«Пойдёмте вме́сте». — «Ну, нет, я бего́м, вам со мной **не с руки́».**

Н. Островский, Как закалялась сталь.

Обагри́ть РУ́КИ кро́вью (*или* в крови́).
To be involved in murder/assassination.
Ива́н Гро́зный **обагри́л ру́ки кро́вью** своего́ ста́ршего сы́на Ива́на.

Облома́ть РУ́КИ *о кого-л.*
To beat somebody unmercifully.
И́здали доноси́лся пья́ный го́лос: «Да я **ру́ки облома́ю** о тебя́, ты гря́зный ростовщи́к!»

Опуска́ть, опусти́ть РУ́КИ.
To be disheartened.
Есть лю́ди, кото́рые, потерпе́в каку́ю-нибудь неуда́чу, **опуска́ют ру́ки,** вме́сто того́, что́бы да́льше рабо́тать в наде́жде на успе́х.

Отда́ть на́ РУКИ *кому-л.*
To give to somebody's care.
В во́зрасте двух с полови́ной лет сироту́ Ва́ню **о́тдали на́ руки** дя́де.

Писа́ть, написа́ть от РУКИ́.
To write by hand.
Да́йте мне **написа́ть** э́то письмо́ **от руки́.**

Получи́ть на́ РУКИ.
To receive something personally.
Учи́тель **получи́л** спра́вку **на́ руки.**

Попа́сть (*или* попа́сться) в РУ́КИ.
1. **To fall into somebody's hands.**
2. **To find oneself in somebody's power.**

1. Каки́м о́бразом э́та кни́га **попа́ла** вам **в ру́ки?**
2. Невыноси́мое муче́ние испы́тывает тот, кто **попадёт в ру́ки** э́того нача́льника-де́спота.

Приложи́ть РУКИ (*или* ру́ку) *к чему-л.*
To take a hand in something.
Мы купи́ли недорого́й дом, но на́до **приложи́ть ру́ки** к его́ ремо́нту, чтоб вы́глядел краси́во и чтоб мо́жно бы́ло в нём удо́бно жить.

Рабо́чие РУКИ (*или* рабо́чая си́ла).
Manpower, labor-power.
Во вре́мя второ́й мирово́й войны́ ощуща́лся недоста́ток **рабо́чих рук.**

Развяза́ть РУКИ.
To set free, to release.
Ма́ша дово́льна, что её де́ти ста́ли взро́слыми и **развяза́ли ей ру́ки.** Тепе́рь она́ мо́жет уже́ ходи́ть на рабо́ту и е́здить с му́жем на кани́кулы.

Связа́ть РУКИ.
см. Связа́ть по РУКА́М и нога́м.

Сиде́ть сложа́ РУКИ.
To sit/be idle, to sit in idleness.
Что́бы дости́чь успе́ха, на́до рабо́тать, а не **сиде́ть сложа́ ру́ки.**

Умыва́ть, умы́ть РУ́КИ *от чего-л.*
To wash one's hands of something, to decline the responsibility for something.
Все зна́ют, что Серге́й явля́ется причи́ной её несча́стья, а он **умыва́ет ру́ки** от э́того и вини́т во всём тёщу.

РУКО́Й пода́ть.
It is but a step from here, a stone's throw from here.
«Скажи́те, пожа́луйста, как далеко́ отсю́да университе́тская библиоте́ка?»
— «**Руко́й пода́ть.** Вот тот бе́лый дом на углу́ у́лицы».

Име́ть (*или* быть, находи́ться и т.п.) под РУКО́Й.
To be at hand, to be within easy reach of one.
Спра́вочник по ру́сской грамма́тике до́лжен **быть под руко́й** у ка́ждого студе́нта, изуча́ющего ру́сский язы́к.

Как РУКО́Й (сня́ло и т. п.).
As if by magic.
Загова́ривал зу́бы — пе́рвый сорт. Быва́ло отвернётся к око́шку, поше́пчет, поплюёт и **как руко́й!** Си́ла ему́ така́я да́дена...
Чехов, Лошадиная фамилия.

Махну́ть РУКО́Й *на.*
To give up as lost/hopeless, to give up as a bad job.
Роди́тели стара́лись уговори́ть дочь не расторга́ть бра́ка, объясня́ли ей мно́го раз неблагоприя́тные после́дствия расторже́ния бра́ка, но ви́дя её упря́мство, **махну́ли** на всё **руко́й.**

Ще́дрою РУКО́Ю.
Lavishly, generously, unstintingly, with an open hand.
Его́ оте́ц **ще́дрою руко́ю** дава́л де́ньги на ра́зные це́ли на́шего о́бщества.

Брать, взять (*или* ходи́ть, идти́ и т. п.) по́д РУКУ.
To take somebody's arm, to walk with somebody on one's arm.
Ва́ря **взяла́** му́жа **по́д руку** и пошла́ с ним на вокза́л встреча́ть госте́й.

Говори́ть, сказа́ть (*или* сде́лать и т. п.) по́д РУКУ.
To disturb one when one is busy.
— Есть ли клёв? — спроси́л стари́к Костяко́ва. — Како́й клёв, когда́ **по́д руку говоря́т,** — отвеча́л тот серди́то.
Гончаров, Обыкновенная история.

Дава́ть, дать РУ́КУ на отсече́ние.
To swear, to make a solemn declaration.
Гля́дя в запла́канные глаза́ свое́й жены́, он сказа́л: «Ду́шенька, почему́ мне не ве́ришь? **Даю́ ру́ку на отсече́ние,** что я тебе́ не измени́л».

Держа́ть РУКУ.
см. Держа́ть СТО́РОНУ.

Игра́ть на́ РУКУ (*или* в ру́ку) *кому-л.*
To play into somebody's hand, to help somebody.
Хоро́шая пого́да **игра́ет** им **на́ руку:** бу́дет хоро́шая прогу́лка верхо́м!

Име́ть си́льную РУ́КУ.
To be influential to have an influence/support.
Па́вла не при́няли в вое́нную акаде́мию. Его́ оте́ц обрати́лся с про́сьбой к своему́ прия́телю, майо́ру Ли́хтенштайну, зна́я, что он **име́ет** в акаде́мии **си́льную ру́ку.** В результате, Па́вла при́няли в акаде́мию.

Наби́ть РУКУ.
To become a practiced hand.
Он в э́том де́ле **наби́л** себе́ **ру́ку,** у него́ вы́работанный стиль.

На живу́ю РУКУ.
In a hurry, hastily, hurriedly.
Карти́на вы́шла скве́рная, так как он нарисова́л её **на живу́ю ру́ку.**

Наложи́ть РУКУ (*или* ла́пу) *на что-л.*
To take possession of something, to subordinate something to one's influence.
Оккупацио́нная власть **наложи́ла ру́ку** на всю промы́шленность, земледе́лие и культу́рную жизнь населе́ния.

На́ РУКУ.
Convenient.

Таре́лкин, бу́дучи в Нью-Йо́рке, зашёл к своему́ дру́гу, так как э́то бы́ло ему́ **на́ руку**.

На́ РУКУ нечи́ст (*или* нечи́стый).
One is a pilferer.
В суде́ ему́ доказа́ли, что он **на́ руку нечи́ст,** и тепе́рь нигде́ не хотя́т приня́ть его́ на рабо́ту.

На ско́рую РУ́КУ.
Offhand.
Вы должны́ посла́ть письмо́ неме́дленно, а то бу́дет по́здно. Попроси́те секрета́ршу, она́ **на ско́рую ру́ку** напеча́тает его́ вам.

На широ́кую РУ́КУ (*или* но́гу).
On a grand scale.
Мы не мо́жем жить **на широ́кую ру́ку,** потому́ что наш оте́ц зараба́тывает о́чень ма́ло.

Пода́ть РУКУ.
To hold out one's hand, to offer one's hand.
Дойдя́ до середи́ны ко́мнаты, она́ пошатну́лась; я вскочи́л, **по́дал ей ру́ку** и довёл её до кре́сла.

Пода́ть (*или* протяну́ть) РУКУ по́мощи.
To lend a helping hand.
Ра́неный оста́лся в лесу́ оди́н. Не́кому бы́ло **пода́ть** ему́ **ру́ку по́мощи.**

Поднима́ть, подня́ть РУ́КУ *на кого-л.*
To lift/raise one's hand against somebody.
По́мни, что он мой друг, и е́сли ты **подни́мешь ру́ку** на него́, то я **подниму́ ру́ку** на тебя́.

Под пья́ную РУ́КУ.
Under the influence of drink, while drunk.
Лу́чше не обраща́ть внима́ния на его́ слова́: ведь он говори́т **под пья́ную ру́ку.**

Положа́ РУ́КУ на́ сердце (сказа́ть).
(To say) with one's hand upon one's heart, candidly.
«Я тебе́ никогда́ не измени́л», — сказа́л Ники́та свое́й жене́, **положа́ ру́ку на́ сердце.**

Попа́сться (*или* попа́сть, подверну́ться) по́д РУКУ.
To find accidentaly.
В библиоте́ке **попа́лась** мне **по́д руку** о́чень интере́сная кни́га.

Приложи́ть РУКУ *под чем-л.*
To sign one's name.
Они́ прочита́ли прика́з и **приложи́ли** под ним **ру́ку.**

Что по́д РУКУ попадётся.
Anything one can lay hands on/upon.
У меня́ нет вре́мени ходи́ть из магази́на в магази́н. Куплю́, **что по́д руку попадётся** в пе́рвом магази́не.

Войти́ в РУ́СЛО (*или* колею́).
To settle down.
Снача́ла прише́льцам из Евро́пы бы́ло тяжело́ жить в Аме́рике, но постепе́нно всё **вошло́ в ру́сло.**

Би́ться как РЫ́БА об лёд.
To struggle desperately.
Пое́хал с большо́й семьёй в Брази́лию и тепе́рь там **бьётся как ры́ба об лёд,** чтоб её содержа́ть там.

Как РЫ́БА в воде́.
Well, freely, with ease.
«Как же вы чу́вствуете себя́ на но́вой рабо́те?» — «Спаси́бо, **как ры́ба в воде́**».

Ни РЫ́БА ни мя́со.
Neither one thing nor another, neither fish nor fowl.
«Скажи́те, пожа́луйста: ваш сосе́д демокра́т и́ли социали́ст?» — «Он **ни ры́ба ни мя́со**».

На РЫСЯ́Х.
At a trot.
К нам приближа́лись **на рыся́х** молоды́е каза́ки.

С

Коса́я САЖЕ́НЬ в плеча́х (*или* в косу́ю саже́нь ро́стом).
Broad as a barrel.
Встре́тил нас ста́роста . . . , дю́жий и ры́жий мужи́к **в косу́ю саже́нь ро́стом.**
Тургенев, Бурмистр.

САМ не свой, сама́ не своя́.
One who lost his/her mental equilibrium/self-control, one who is not himself.
Жена́ ви́дит, что он **сам не свой,** что происше́ствие-то его́ потрясло́ соверше́нно.
Достоевский, Бедные люди.

САМ, сама́, само́, са́ми по себе́.
1. **By oneself, independently.**
2. **Of itself, as such.**
3. **Another matter.**
1. Пуска́й же́нится, **сам по себе́** живёт.
Л. Толстой, Война и мир.

2. Земля́ **сама́ по себе́** не име́ет це́нно-

сти: кто пла́тит за зе́млю, пла́тит то́лько за пра́во рабо́тать.

Чернышевский, Пролог.

3. Любо́вь **сама́ по себе́,** а сре́дства жи́зненные — **са́ми по себе́.**

Писемский, Тюфяк.

САМ, сама́, само́, са́ми собо́й.
1. **Involuntarily.**
2. **By himself, herself, itself, themselves.**
1. Спать хо́чется, глаза́ закрыва́ются **са́ми собо́й.**
2. Этот дом ва́лится **сам собо́й.**

САМА́ не своя́.
см. САМ не свой.

САМО́ собо́й (разуме́ется).
Of course, naturally.
«Вы пое́дете на съезд учителе́й?» — «**Само́ собо́й,** там бу́дут интере́сные докла́ды».

Сади́ться, сесть не в свой СА́НИ.
To occupy an unseemly post.
Ей ка́жется, что заве́дующий э́тим отделе́нием **сел не в свой са́ни.**

Два САПОГА́ па́ра.
They make a pair, well matched.
На́ши сосе́ди — э́то **два сапога́ па́ра**. То он, то она́ начина́ет ссо́ру.

САПОГИ́ всмя́тку.
Rot, rubbish, trifling matter, nothing.
Кака́я же причи́на в мёртвых ду́шах? Да́же и причи́ны нет. Это, выхо́дит про́сто: Андро́ны е́дут, чепуха́, белиберда́, **сапоги́ всмя́тку.**

Гоголь, Мёртвые души.

Стопта́ть САПОГИ́.
To wear out one's boots.
— Жени́х, ты опя́ть **стопта́л сапоги́ . . .**
— Обеща́ли но́вые, е́сли сдам экза́мен по геогра́фии.

Е. Чириков, Соседка.

Быть (*или* находи́ться) под САПОГО́М.
To be under the yoke, to be subservient.
Этот наро́д мно́го лет **был под сапого́м** оккупа́нта.

Ти́хой СА́ПОЙ.
On the sly.
Мы **ти́хой са́пой** подошли́ к неприя́тельским око́пам.

В СБО́РЕ.
In session.
Часо́в в семь утра́ Давы́дов, придя́ в сельсове́т, заста́л уже́ **в сбо́ре** четы́рнадцать челове́к гремя́ченской бедноты́.

Шолохов, Поднятая целина.

Золота́я СВА́ДЬБА.
Fiftieth wedding anniversary, golden wedding.
В суббо́ту на бу́дущей неде́ле бу́де[т] **золота́я сва́дьба** мои́х роди́телей.

Сере́бряная СВА́ДЬБА.
Twenty-fifth wedding anniversary, silve[r] wedding.
На **сере́бряной сва́дьбе** у госпо́д Ани́ч[ко]вых бы́ло о́чень мно́го госте́й.

К ва́шему СВЕ́ДЕНИЮ (вводн. сл.).
Let it be known to you, for your informa[-]tion.
Я несогла́сен с ва́ми, **к ва́шему све́де[-]нию,** совсе́м несогла́сен.

Принима́ть, приня́ть к СВЕ́ДЕНИЮ.
To take something into consideration/ac[-]count.
Моего́ заявле́ния не **при́няли к све́дению**

Доводи́ть до СВЕ́ДЕНИЯ.
To bring something to somebody's notice to inform somebody.
Довожу́ до ва́шего **све́дения,** что за[-]ка́занных ва́ми книг в на́шем кни́жно[м] магази́не нет.

Не пе́рвой СВЕ́ЖЕСТИ.
1. **Not very fresh.**
2. **Not very clean.**
1. Это ма́сло **не пе́рвой све́жести.**
2. Это полоте́нце **не пе́рвой све́жести**.

СВЕСТИ́ на нет.
To annihilate/obliterate.
Тата́рские наше́ствия **свели́ на нет** куль[-]ту́рные достиже́ния Ки́евской Руси́.

СВЕТ не производи́л.
Such a person hasn't been born yet.
Эти купцы́ — таки́е обма́нщики, каки[х] **свет не производи́л.**

СВЕТ оче́й.
Light of one's life.
«Ты **свет** мои́х **оче́й,** ты моя́ жизнь», — писа́ла Фе́ня своему́ жениху́.

Вы́йти в СВЕТ (*или* уви́деть свет).
To be published.
Бо́льше всего́ он жела́ет, чтоб его́ кни́г[а] **вы́шла в свет.**

Выпуска́ть, вы́пустить в СВЕТ.
To publish.
Таки́х рома́нов, как э́тот, не сле́дует **вы[-]пуска́ть в свет.**

На чём СВЕТ стои́т.
With all one's might, very strongly.
Я бо́льше не хочу́ говори́ть с ним о[б] э́том собы́тии, потому́ что, как то́льк[о] я скажу́ одно́ сло́во, он начина́ет ру[-]га́ться **на чём свет стои́т.**

Ни СВЕТ ни заря́.
Before dawn.
Мы собира́лись в доро́гу . . . Был **ни свет ни заря́**.

Но́вый СВЕТ.
America.

Невыноси́мые усло́вия жи́зни на ро́дине прину́дили его́ пое́хать в **Но́вый Свет.**

Отправля́ть, отпра́вить на тот СВЕТ.

To send to kingdom-come.

Мне ка́жется, что Гри́ша свои́м поведе́нием ско́ро **отпра́вит** своего́ отца́ **на тот свет.**

Отправля́ться, отпра́виться на тот СВЕТ *или* к праотца́м, к пре́дкам).

To die.

Алекса́ндр Семёнов о́чень бо́лен и, по мне́нию враче́й, ско́ро **отпра́вится на тот свет.**

Производи́ть, произвести́ на СВЕТ.

To bring into the world, to give birth.

Пусть бу́дут просла́влены ма́тери, кото́рые **произвели́ на свет** вас, борцо́в за свобо́ду!

Пролива́ть, проли́ть (*или* броса́ть, бро́сить) СВЕТ *на.*

To shed/throw light on.

Америка́нская киноарти́стка поко́нчила самоуби́йством! На́йденное в её ко́мнате письмо́ **пролива́ет свет** на причи́ну самоуби́йства.

Тот СВЕТ.

The next/other world.

Их сын не верну́лся с войны́. Мо́жет быть, он уже́ на **том све́те.**

Увидеть СВЕТ.

1. **To be born.**
2. **To be published.**

1. Михаи́л Ю́рьевич Ле́рмонтов **уви́дел свет** 2-го октября́ 1814 г.
2. Её статья́ ско́ро **уви́дит свет.**

Чем СВЕТ (*или* чуть свет).

At daybreak.

Мужи́к пое́хал в го́род **чуть свет.**

Этот СВЕТ.

Earthly life.

Я бу́ду по́мнить, что на **э́том све́те** нельзя́ ждать награ́ды, что на **э́том све́те** нет ни че́сти, ни справедли́вости.

Л. Толстой, Война и мир.

Яви́ться (*или* появи́ться) на СВЕТ.

1. **To be born.**
2. **To arise, to appear.**

1. Че́рез год у них **появи́лся на свет** насле́дник-сын.
2. Его́ стихи́ уже́ **появи́лись на свет.**

СВЕ́ТА бе́лого не ви́деть.

Not to see anything, everything turns dark.

Ох, у меня́ ужа́сная головна́я боль! **Све́та бе́лого не ви́жу!**

СВЕ́ТА представле́ние.

The end of the world, doomsday.

Говоря́т, ему́ виде́ние всё мере́щилось в бреду́:

Ви́дел **све́та представле́ние,** Ви́дел гре́шников в аду́.

Н. Некрасов, Влас.

Не взви́деть СВЕ́ТА (*или* дня).

Everything goes dark before somebody; one is infuriated.

От свое́й горя́чки она́ **не взви́дела све́та.**

Не ви́деть СВЕ́ТА (Бо́жьего).

1. **To be very busy, to have no peace.**
2. **To suffer very much.**

1. «Ну что, Па́вел Никола́евич, отдыха́ете?» — «Не сме́йтесь на́до мной, Пётр Алексе́евич, я **све́та (Бо́жьего) не ви́жу:** рабо́таю ка́ждый день 10 и́ли 12 часо́в».
2. Она́ уже́ два ме́сяца в го́спитале. **Не ви́дит све́та (Бо́жьего).**

Сжива́ть, сжить (*или* согна́ть) *кого-л.* со СВЕ́ТА/У.

To be the death of somebody, to worry somebody to death.

Злы́е де́ти преждевре́менно **сжива́ют** свои́х роди́телей **со све́та.**

В ро́зовом СВЕ́ТЕ ви́деть (*или* представля́ть и т. п.).

см. В ро́зовом ЦВЕ́ТЕ.

В СВЕ́ТЕ *чего-л.*

In the light of something, from the view point of something.

Дава́йте обсужда́ть э́тот вопро́с **в све́те** его́ значе́ния в бу́дущем.

На бе́лом СВЕ́ТЕ.

In the wide world.

Таки́х че́стных люде́й, как он, немно́го **на бе́лом све́те.**

Нет на СВЕ́ТЕ.

One has left/departed this life.

«Вели́кого поэ́та, пре́данного борьбе́ за идеа́лы свобо́ды ли́чности, **нет на све́те»,** — на́чал свою́ речь Дими́трий Степа́нович.

Представля́ть (*или* ви́деть и т. п.) в вы́годном СВЕ́ТЕ.

To show or to see something to the best advantage, to place something in a good light.

Ка́ждая полити́ческая па́ртия **представля́ет** свою́ програ́мму **в вы́годном све́те.**

То́лько и СВЕ́ТУ в окне́ (*или* в око́шке).

This is one's only joy and consolation.

Мой еди́нственный сын ... **То́лько и све́ту в окне́.**

До СВИДА́НИЯ!

Good-bye!

«Уже́ по́здно. Я до́лжен идти́ домо́й. **До свида́ния!»** — **«До свида́ния!»**

До ско́рого СВИДА́НИЯ.

See you soon!

«Ве́ра, ты пойдёшь на собра́ние?» —

«Да, пойду́. А ты?» — «Я то́же пойду́. **До ско́рого свида́ния!»**

Быть (*или* служи́ть и т. п.) живы́м СВИДЕ́ТЕЛЕМ.
To be a living monument.
Эта пе́сня **слу́жит живы́м свиде́телем** крепостно́го пра́ва в про́шлом.

Подложи́ть СВИНЬЮ́ *кому-л.*
To play a dirty/mean trick upon somebody.
Он был уве́рен в том, что полу́чит ме́сто письмоводи́теля, но кто-то **подложи́л** ему́ **свинью́,** и он э́того ме́ста не получи́л.

СВИНЬЯ́ под ду́бом.
An ignoble/base person.
Ты ему́ помо́г устро́иться на рабо́ту в на́шем отделе́нии, а он для тебя́ тепе́рь **свинья́ под ду́бом.**

Как СВИНЬЯ́ в апельси́нах разбира́ться (*или* смы́слить, понима́ть и т. п.) *в чём-л.*
Not to have the slightest idea about something.
Нет смы́сла говори́ть ему́ о филосо́фии: он **разбира́ется** в ней **как свинья́ в апельси́нах.**

На СВОБО́ДЕ.
1. **At large.**
2. **At leisure.**
1. Этот престу́пник ско́ро бу́дет **на свобо́де.**
2. По́сле заня́тий мне хоте́лось бы поговори́ть с ва́ми **на свобо́де,** пойти́ в парк . . .

На СВОИ́Х (на) двои́х.
On foot, afoot.
Где доро́га бу́дет плоха́я и не смо́жем е́хать на велосипе́дах, там — **на свои́х двои́х.**

В СВЯЗИ́ *с.*
In connection with.
В связи́ с постро́йкой но́вых учрежде́ний в го́роде, жи́телей го́рода обложи́ли но́выми нало́гами.

СГОРЯЧА́.
In a fit of temper, in the heat of the moment, rashly.
Прошу́ проще́ния. Я не хоте́ла вас оби́деть. Я сказа́ла э́то **сгоряча́.**

СДЕ́ЛАТЬ бо́льно *кому-л.*
To hurt somebody.
Напомина́я о его́ неуда́чном бра́ке, вы **сде́лали** ему́ **бо́льно.**

СДЕРЖА́ТЬ себя́.
To control oneself.
(Ольга Миха́йловна) де́лала уси́лия, что́бы **сдержа́ть себя́,** но рыда́ния с ка́ждою мину́той станови́лись всё гро́мче и гро́мче.
Чехов, Именины.

К СЕБЕ́.
To one's own house/room, to the place of one's residence.
Ни́на погуля́ла в па́рке, а пото́м пошла **к себе́.**

Не по СЕБЕ́.
1. **To feel unwell.**
2. **Uncomfortably.**
1. У мое́й ма́тери определённой боле́зни не́ было, ей бы́ло про́сто **не по себе́.**
2. В прису́тствии графи́ни ему́ станови́лось **не по себе́.**

По СЕБЕ́.
1. **To one's taste, according to one's demand.**
2. **After one.**
1. Я о́чень дово́лен, что нашёл рабо́ту **по себе́.**
2. Она́ оста́вила **по себе́** до́брую па́мять.

Так СЕБЕ́.
1. **So-so, middling.**
2. **Without any special reason/intention/aim.**
3. **Nothing special that would be worth speaking of.**
1. Учени́ца продеклами́ровала стихотворе́ние не превосхо́дно и не пло́хо, а **так себе́.**
2. На вечери́нке одни́ говори́ли о сме́ртной ка́зни, други́е танцева́ли, а тре́тьи **так себе́** сиде́ли.
3. Я не знал, что э́то Пугачёв. Я ду́мал: **так себе́,** крестья́нин.

Про СЕБЯ́.
1. **Quietly, softly, silently.**
2. **Not aloud, mentally.**
1. Ра́но у́тром ста́рый звона́рь позвони́л в ко́локол, а пото́м на́чал что-то мурлы́кать **про себя́.**
2. На его́ ко́лкое замеча́ние я ничего́ не сказа́л, то́лько поду́мал **про себя́:** — Эх, зло́бный челове́к!

Не СЕГО́ДНЯ (*или*: не ны́нче) — за́втра.
см. Не НЫ́НЧЕ — за́втра.

Дожи́ть до СЕДИ́Н (*или* до седы́х воло́с).
To live to a ripe old age, to live to be old.
Ни боле́знь, ни тяжёлые пережива́ния не сократи́ли ей жи́зни; она́ **дожила́ до седи́н.**

СЕКУ́НДА в секу́нду.
1. **At the precise time.**
2. **Simultaneously, at the same time.**
1. Он всегда́ явля́ется на собра́ния **секу́нда в секу́нду.**
2. Оба жеребца́ прохо́дят призовы́е столбы́ **секу́нда в секу́нду.**
Куприн, Изумруд.

(Одну́) СЕКУ́НДУ (*или* секу́ндочку).

One second.
«Я хоте́ла б поговори́ть с заве́дующим». — «**(Одну) секу́нду,** я узна́ю свобо́ден ли он тепе́рь».

Сию СЕКУНДУ.
см. Сию́ МИНУТУ.

Ни к СЕЛУ ни к го́роду.
For no reason at all, quite/just out of the blue.
Слёзы **ни к селу́ ни к го́роду** опя́ть поли́лись из её глаз.

Как СЕ́ЛЬДИ в бо́чке.
Like sardines.
Бе́женцы скопи́лись в ла́гере, **как се́льди в бо́чке.**

От всего́ (*или* чи́стого и т. п.) СЕ́РДЦА.
In all sincerity, from the bottom of one's heart, whole-heartedly.
От всего́ се́рдца жела́ю вам блиста́тельного успе́ха и све́тлого бу́дущего.

Чита́ть в СЕРДЦА́Х (*или* в душе́).
To guess somebody's thoughts/wishes.
У э́того профе́ссора хоро́шая интуи́ция: он прекра́сно **чита́ет в сердца́х.**

СЕ́РДЦЕ боли́т.
см. ДУША́ боли́т.

СЕ́РДЦЕ взыгра́ло (*или* душа́ взыгра́ла).
One's heart was filled with joy.
Се́рдце взыгра́ло во мне, когда́ я вдруг уви́дел свою́ подру́гу, с кото́рой я разлучи́лся пять лет тому́ наза́д.

СЕ́РДЦЕ кро́вью облива́ется.
One's heart is bleeding.
У неё **се́рдце облива́ется кро́вью,** когда́ она́ начина́ет вспомина́ть о ужа́сных пережива́ниях во вре́мя войны́.

СЕ́РДЦЕ моё!
My dear!
Дорога́я, хоро́шая, **се́рдце моё!**
Как медли́телен вре́мени бег!
Сурков, Дорогая, хорошая . . .

СЕ́РДЦЕ не лежи́т *к.*
One has no liking for.
Его́ нельзя́ прину́дить игра́ть в ка́рты, потому́ что его́ **се́рдце не лежи́т** к э́тому заня́тию.

СЕ́РДЦЕ (*или* душа́) не на ме́сте.
One is anxious/uneasy.
Так по́здно, а его́ ещё нет . . . Жду и жду . . . У меня́ про́сто **се́рдце не на ме́сте.**

СЕ́РДЦЕ но́ет, ны́ло.
см. ДУША́ но́ет, ны́ла.

СЕ́РДЦЕ отойдёт, отошло́ (*или* от се́рдца отойдёт, отошло́) *у кого-л.*
One will feel, feels relieved; one will be, is appeased.
(Ра́йский) останови́лся: у него́ вдруг **отошло́ от се́рдца.** Он засмея́лся добродушно, не то над ней, не то над собо́й.
Гончаров, Обрыв.

СЕ́РДЦЕ па́дает (*или* се́рдце оборва́лось).
One's heart is sinking, sank.
У Ве́ры **се́рдце оборва́лось,** когда́ пе́ред её глаза́ми столкну́лись два автомоби́ля.

СЕ́РДЦЕ переверну́лось.
One has a strong feeling of pity/compassion.
(На́стенька) зарыда́ла так, что во мне **се́рдце переверну́лось** от э́тих рыда́ний.
Достоевский, Белые ночи.

СЕ́РДЦЕ (*или* душа́) разрыва́ется.
One's heart is breaking.
У него́ **се́рдце разрыва́ется,** когда́ он вспомина́ет об у́жасе после́дней войны́, о том, как поги́бли его́ оте́ц и мать.

Име́ть (*или* держа́ть) СЕ́РДЦЕ *на кого-л.*
To be angry with someone.
Наста́сья не мо́жет забы́ть ему́ оби́ды, нанесённой ей не́сколько лет тому́ наза́д, и до сих пор **име́ет** на него́ **се́рдце**.

Пронзи́ть СЕ́РДЦЕ (*или* ду́шу).
To pierce somebody's heart, to cause strong suffering/anguish.
Неча́янная весть о сме́рти сы́на **пронзи́ла се́рдце** ма́тери.

Разби́ть СЕ́РДЦЕ.
To break somebody's heart, to cause unhappiness.
Он поки́нул её, он **разби́л** её **се́рдце.**

Скрепя́ СЕ́РДЦЕ.
Reluctantly.
Скрепя́ се́рдце, сын после́довал сове́ту отца́.

Боле́ть СЕ́РДЦЕМ.
см. Боле́ть ДУШО́Й.

Всем СЕ́РДЦЕМ.
With all one's heart, wholeheartedly.
Благодарю́ вас, ба́тюшка, **всем се́рдцем** за ока́занную мне по́мощь. Этого я вам никогда́ не забу́ду.

С лёгким СЕ́РДЦЕМ.
Without hesitation/anxiety.
Он **с лёгким се́рдцем** при́нял до́лжность в но́вом го́роде.

С откры́тым (*или* чи́стым) СЕ́РДЦЕМ.
Sincerely, trustfully.
— Ви́ктор Бори́сович, я хочу́ поговори́ть с ва́ми **с откры́тым се́рдцем.** Вы́слушайте меня́, пожа́луйста, — начала́ говори́ть Ни́на Серге́евна.

С тяжёлым СЕ́РДЦЕМ.
With a heavy heart, unwillingly, having a presentiment.
Вся семья́ **с тяжёлым се́рдцем** оста́вила ро́дину и вы́ехала в Брази́лию.

По СЕ́РДЦУ.
To one's liking.

Танцýя с Алексáндрой, Васи́лий сказáл ей комплимéнт. Он знал, что Алексáндре э́то **по сéрдцу.**

Принимáть, приня́ть (бли́зко) к СÉРДЦУ.

To take something to heart.

Старýшка расскáзывала мнóгим о своём страдáнии, но мéжду ни́ми нашёлся тóлько оди́н человéк, котóрый **при́нял к сéрдцу** то, о чём онá расскáзывала.

Золотáя СЕРЕДИ́НА.

The golden mean, ***aurea mediocritas.***

В жи́зни лýчше всегó держáться **золотóй середи́ны,** т. е. избегáть крáйностей.

СЕРП луны́.

Crescent, side moon (in poetry).

Весéнний вéчер перешёл в ночь, и нá нéбе показáлся **серп луны́.**

Поймáть в свои́ СÉТИ.

To make somebody fall in love.

Настáсья Ивáновна **поймáла в свои́ сéти** Петрá Пáвловича.

Попáсть в СÉТИ.

1. **To fall in love, to lose one's heart.**
2. **To be involved in a blamable, suspicious business or organization.**

1. Он тóлько что познакóмился с Мáшей и ужé **попáл в её сéти.**
2. Он дáже не дýмал о том, что бýдучи в связи́ с э́той кокéткой, он **попадёт в сéти** нелегáльной организáции.

Кéсарево (*или* кéсарское) СЕЧÉНИЕ.

Caesarian birth/operation.

Врачи́ дýмали, что не нáдо бýдет дéлать ей **кéсарево сечéние,** но без э́того не обошлóсь.

СИ́ДНЕМ сидéть.

1. **To sit a long time without getting up.**
2. **To be somewhere without absenting oneself for an instant.**

1. Профéссор ужé бóльше двух часóв **си́днем сиди́т** за пи́сьменным столóм и прáвит корректýру.
2. Мой дéдушка всё лéто **си́днем сидéл** на своéй дáче.

СИЛ нет.

Very much, extremely.

Сил нет, как э́тот городóк мне надоéл.

Быть вы́ше СИЛ.

To be more than one can stand.

Молчáть в то врéмя, когдá её обижáли, **бы́ло вы́ше** её **сил.** Онá вы́шла из кóмнаты и началá плáкать.

Рабóчая СИ́ЛА.

см. Рабóчие РУКИ.

Всéми СИ́ЛАМИ.

By using all efforts.

Я **всéми си́лами** бýду старáться вам помóчь.

Быть в большóй СИ́ЛЕ.

To be very powerful, to have great influence.

Нельзя́ пренебрегáть надéждой на его пóмощь: он тепéрь **в большóй си́ле,** я совéтую вам с ним поговори́ть.

СИ́ЛОЮ *в* (*или до, от-до*) (военн.).

In the quantity.

Позади́ дви́галась артиллéрия **си́лою** 100 тáнков.

СИ́ЛОЮ вещéй.

Owing to the force of circumstances.

И скóро **си́лою вещéй** Мы очути́лися в Пари́же.

Пушкин, Евгений Онегин

В СИ́ЛУ.

Because of, on account of, owing to.

В си́лу привы́чки он ежеднéвно хóдит пешкóм в университéт.

Входи́ть, войти́ (*или* вступáть, вступи́ть) в СИ́ЛУ.

To come into force/effect.

Э́тот закóн **вошёл в си́лу** в прóшлом годý.

Чéрез СИ́ЛУ.

Beyond (the existing) wish/desire.

Он не люби́л вóдки, но был в гостя́х и пил **чéрез си́лу.**

СИ́ЛЫ изменя́ют.

It is beyond one's strength.

У дверéй перевя́зочной онá остáлась. **Си́лы ей измени́ли,** онá прислони́лась к двéри и зарыдáла.

Л. Соболев, Невеста

СКАЖИ́ (-ТЕ), пожáлуйста.

см. Скажи́ (-те) на МИ́ЛОСТЬ.

Да и то СКАЗÁТЬ.

And indeed.

Он продаёт э́тот дом за три́дцать ты́сяч дóлларов. **Да и то сказáть:** дом нóвый и в прекрáсном рай́оне.

Нéчего СКАЗÁТЬ.

1. **Indeed, really, unquestionably.**
2. **Well, to be sure (Used as emotional expression of a negative relation toward something).**

1. Поéздка в Еврóпу былá замечáтельная, **нéчего сказáть.**
2. Доклáдчик говори́л, ну, уж **нéчего сказáть!** — ни содержáния, ни фóрмы, пусты́е словá.

Си́льно СКАЗÁТЬ (*или* вы́разиться).

To exaggerate in saying something, to go too far.

Э́тот студéнт — дурáк. Извини́те, я немнóго **си́льно вы́разился.**

Так СКАЗÁТЬ.

So to say/speak, if one can say so.

Учи́тельница Ве́ра Па́вловна не зна́ет, **так сказа́ть,** своего́ ме́ста в отноше́нии к други́м.

Со шко́льной (*или* университе́тской и т. п.) СКАМЬИ́.

Right after graduation from school (university, etc.).

Ита́к, **со шко́льной скамьи́** он пошёл на войну́.

СКАМЬЯ́ подсуди́мых.

Dock.

Этого преступле́ния он не соверши́л и не до́лжен сиде́ть на **скамье́ подсуди́мых.**

Ни СКЛА́ДУ ни ла́ду.

Neither rhyme nor reason.

Говори́л почти́ два часа́, но в том, о чём он говори́л, не́ было **ни скла́ду ни ла́ду.**

На СКЛО́НЕ лет (*или* дней).

In one's declining years, in the evening of life.

На скло́не лет я перебира́ю мои́ воспомина́ния.

СКОРЕ́Е всего́.

Most likely/probably.

«Ви́ктор Па́влович, вы е́дете на совеща́ние?» — «Ещё не зна́ю . . . **скоре́е всего́** не пое́ду».

Замыка́ться, замкну́ться (*или* пря́таться, спря́таться; уходи́ть, уйти́) в свою́ СКОРЛУПУ́.

To draw/retreat into one's shell, to shrink into oneself, to shut oneself up in one's own shell.

Не зна́ю, как э́то объясни́ть: всегда́ он принима́л уча́стие в ра́зных о́траслях жи́зни на́шего о́бщества, а в э́том году́ **замкну́лся в свою́ скорлупу́** и никто́ его́ нигде́ не ви́дит.

Игра́ть, сыгра́ть втору́ю СКРИ́ПКУ.

To play a secondary role, to have a secondary importance.

Хотя́ Ива́н Петро́вич был одни́м из реда́кторов газе́ты, **игра́л** он там **втору́ю скри́пку** и не име́л влия́ния на её направле́ние.

Игра́ть, сыгра́ть пе́рвую СКРИ́ПКУ.

To be a most important/influential person.

Никто́ и не ду́мал, что он **сыгра́ет пе́рвую скри́пку** в э́том де́ле.

СЛА́ВА Бо́гу.

1. Thank God, thank goodness!
2. Well, nice.

1. Ну, **сла́ва Бо́гу,** война́ ко́нчилась.
2. Я дово́лен, что у вас до́ма всё **сла́ва Бо́гу.**

На СЛА́ВУ.

Wonderfully well, excellent.

Но́вую шине́ль уж я вам сошью́ **на сла́ву.**

Гоголь, Шинель.

И СЛЕД просты́л (*или* пропа́л).

The bird has flown.

Пое́хал на Да́льний Восто́к и **след** его́ **просты́л.**

Напа́сть на СЛЕД.

To get on the tracks/trail.

В Ке́льне я **напа́л на след** Га́шных; я узна́л, что они́ пое́хали в Ло́ндон.

Тургенев, Ася.

Как СЛЕ́ДУЕТ.

In full measure, fully, as it should be.

Она́ подгото́вилась к экза́мену **как сле́дует** и получила пятёрку.

Крокоди́ловы СЛЁЗЫ.

Crocodile tears.

Не ве́рьте ей, она́ уме́ет и лю́бит притворя́ться; я уве́рен в том, что её слёзы — э́то бы́ли **крокоди́ловы слёзы,** а не слёзы открове́нного сожале́ния.

Пролива́ть, проли́ть СЛЁЗЫ.

To shed tears, to turn on the waterworks.

Мать уже́ второ́й год **пролива́ет слёзы** по пропа́вшему бе́з вести сы́ну.

Роня́ть СЛЁЗЫ.

To weep.

Ве́ра, проща́ясь со свои́м женихо́м, **роня́ла** кру́пные **слёзы.**

СЛИ́ВКИ о́бщества.

Cream of society.

Вчера́ в теа́тре бы́ли то́лько **сли́вки о́бщества.**

Броса́ть СЛОВА́ на́ ве́тер.

To talk/speak at random or idly.

Невыноси́мо слу́шать моего́ шу́рина: он **броса́ет слова́ на́ ве́тер.**

Си́льные СЛОВА́ (*или* выраже́ния).

Insulting/abusive words.

Варва́ра Никола́евна рассерди́лась и произнесла́ по моему́ а́дресу не́сколько **слов** насто́лько **си́льных,** что мои́ у́ши нали́лись кро́вью.

Горький, Мои университеты.

Сы́пать СЛОВА́ (*или* слова́ми).

To spout words.

Он **сы́пал слова́** так бы́стро, что я не всё по́нял.

Свои́ми СЛОВА́МИ.

In one's own words.

Расскажи́те **свои́ми слова́ми** сюже́т пье́сы Го́голя «Ревизо́р».

Сы́пать СЛОВА́МИ.

см. Сы́пать СЛОВА́.

В двух СЛОВА́Х.

Briefly, in a word.

Расскажи́те, пожа́луйста, **в двух слова́х**, как всё э́то произошло́.

На СЛОВА́Х.
1. Orally.
2. In words only, in conversation only.
1. Дал он мне э́ту запи́ску и веле́л **на слова́х** тебе́ сказа́ть, что зае́дет на возвра́тном пути́ к нам пообе́дать.
Гоголь, Майская ночь.
2. Вы гро́зны **на слова́х** — попро́буйте на де́ле!
Пушкин, Клеветникам России.

Лови́ть на СЛО́ВЕ.
To take one at one's word.
У неё была́ кака́я-то страсть — **лови́ть** всех **на сло́ве,** улича́ть в противоре́чии, придира́ться к фра́зе.
Чехов, Учитель словесности.

СЛО́ВО за́ слово.
To exchange a few words.
Встре́тились мы на кроке́тной площа́дке. Блонди́нка. Голубы́е глаза́. Фигу́ра бесподо́бная. **Сло́во за́ слово.** Пошли́ к мо́рю.
П. Яльцев, Мафусаил.

Помяни́ (-те) моё СЛО́ВО.
Mark my words.
Уж ты **помяни́ моё сло́во,** что э́та гроза́ да́ром не пройдёт.
А. Островский, Гроза.

Попо́мни (-те) моё СЛО́ВО (*или* меня́).
Mark my words.
Вот **попо́мните моё сло́во:** он вам никогда́ не помо́жет в э́том де́ле.

Сдержа́ть СЛО́ВО.
To keep one's word/promise, to be as good as one's word.
Оте́ц обеща́л сы́ну купи́ть автомоби́ль и **сдержа́л** своё **сло́во.**

Хоть СЛО́ВО!
(Only) one word! Say something!
Ма́ша, ра́ди Бо́га, **хоть сло́во!** Почему́ молчи́шь?

Че́стное СЛО́ВО.
Upon my word of honor, upon my honor, honestly.
Че́стное сло́во, что они́ разво́дятся. Я не лгу.

СЛО́ВОМ не обмо́лвиться.
Not to utter a word.
Стари́к никому́ и **сло́вом не обмо́лвился,** что на комбина́те рабо́тает его́ сын.
Чаковский, У нас уже утро.

Не лезть за СЛО́ВОМ в карма́н.
To have a ready tongue, to be ready-witted.
Ну, как ви́жу, Ве́ра Фили́пповна, вам **не лезть за сло́вом в карма́н.** На ко́лкие замеча́ния отвеча́ете ко́лкостями.

Помина́ть до́брым СЛО́ВОМ.
см. Помина́ть ДОБРО́М.

На СЛУХ.
By ear.
Он легко́ запомина́ет мело́дию **на слух.**

Ни СЛУ́ХУ ни ду́ху.
Nothing has been heard, there is no news.
Два го́да тому́ он уе́хал из го́рода и **ни слу́ху ни ду́ху** о нём.

Во вся́ком СЛУ́ЧАЕ.
In any case, anyhow, at any rate.
Мо́жет быть, вта́йне Жу́лька осужда́ла своего́ дру́га за бу́йный нрав и дурны́е мане́ры, но **во вся́ком слу́чае** я́вно она́ никогда́ э́того не выска́зывала.
Куприн, Барбос и Жулька.

В СЛУ́ЧАЕ чего́.
If any dangerous, complicated, unpleasant circumstances would arise/appear, in case of anything.
В слу́чае чего́ мо́жно вам позвони́ть, до́ктор?

В тако́м СЛУ́ЧАЕ.
In that case, then.
— Пётр, мы собира́лись пое́хать за́втра на автомоби́ле в Филаде́льфию, но по ра́дио сказа́ли, что бу́дет о́чень плоха́я пого́да.
— **В тако́м слу́чае** не пое́дем.

Ни в ко́ем СЛУ́ЧАЕ.
On no account, by no means.
Ты ещё бо́лен, и тебе́ нельзя́ **ни в ко́ем слу́чае** выходи́ть и́з дому.

При СЛУ́ЧАЕ.
On occasion, when opportunity offers.
При слу́чае расскажу́ вам об э́том бо́лее подро́бно.

На вся́кий СЛУ́ЧАЙ.
To make sure, to be on the safe side.
Когда́ Па́вловы уезжа́ли в Евро́пу, я им сове́товал захвати́ть с собо́ю, **на вся́кий слу́чай,** побо́льше де́нег.

На СЛУ́ЧАЙ *чего-л.*
In case of, in prevision of.
Возьми́те, пожа́луйста, с собо́й зо́нтик **на слу́чай** дождя́.

Приведёт СЛУ́ЧАЙ.
см. Приведёт БОГ.

По СЛУ́ЧАЮ.
1. By chance, secondhand (when speaking of fortuitous selling or buying/purchasing).
2. Because of, on account of, owing to, in consequence of.
1. Я купи́л э́ти кни́ги **по слу́чаю.**

2. Прогу́лка не состоя́лась **по слу́чаю** бури.

От СЛУ́ЧАЯ к слу́чаю.
Not always, not regularly, from time to time, sometimes.
Он занима́ется ру́сским языко́м **от слу́чая к слу́чаю.**

СЛЫШНО.
They say; it is said; it is rumoured.
Слы́шно, что к нему́ прие́хали ро́дственники из Евро́пы.

Распуска́ть, распусти́ть СЛЮНИ.
1. To cry.
2. To grow soft.
1. Этот баловни́к от чего́-нибудь **распуска́ет слю́ни.**
2. И к чему́, поду́маешь, э́ти дура́цкие восто́рги: увида́ла краси́вого па́рня и **распусти́ла слю́ни.**

Быть (*или* лежа́ть) при́ СМЕРТИ.
To be dying, to be on the verge of death, to be on one's death bed.
Её муж **при́ смерти,** и она́ не хо́чет ни с кем говори́ть.

До са́мой СМЕ́РТИ.
Till one's dying day.
Я вам бу́ду благода́рен за ва́шу по́мощь **до са́мой сме́рти.**

До́ СМЕРТИ.
To death, very much.
Мне ску́чно **до́ смерти!** Оте́ц уе́хал и оста́вил меня́ одну́, и я не зна́ю, что мне де́лать в э́том го́роде.
Чехов, Моя жизнь.

Надоеда́ть, надое́сть до́ СМЕРТИ.
To pester to death.
Этот ма́ленький городо́к **надое́л** мне **до́ смерти.**

Напуга́ть до́ СМЕРТИ.
To frighten somebody to death.
Больша́я соба́ка **напуга́ла** де́вочку **до́ смерти.**

СМЕРТЬ две́рью обозна́лась.
Death went to the wrong door.
— Сын то вот по́мер, а я жив ... чудно́е де́ло, **смерть две́рью обозна́лась ...** Вме́сто того́, чтоб ко мне идти́, она́ к сы́ну ...
Чехов, Тоска.

СМЕРТЬ (нареч.) как.
Extremely.
Ему́ **смерть как** хо́чется пое́хать за грани́цу.

Как СМЕРТЬ бле́дный.
Very pale.
У него́, наве́рно, кака́я-то неизве́стная боле́знь: он всегда́ **как смерть бле́дный.**

Наси́льственная СМЕРТЬ.
Violent death.
Президе́нт Соединённых Шта́тов, Джон Ф. Кэ́ннэди, у́мер **наси́льственной сме́ртью.**

Скоропости́жная СМЕРТЬ.
Sudden death.
И це́ли свое́й он не дости́г: **скоропости́жная смерть** прекрати́ла его́ трудолюби́вую жизнь.

Умере́ть не свое́й СМЕ́РТЬЮ.
To die a violent death, to be killed.
Ста́рший сын Ива́на Гро́зного **у́мер не свое́й сме́ртью,** а от руки́ отца́.

Умере́ть свое́й СМЕ́РТЬЮ.
To die a natural death.
Ка́ждый челове́к хо́чет **умере́ть свое́й сме́ртью.**

Не СМЕТЬ дохну́ть.
To be afraid to breathe.
Во вре́мя генера́льского инспе́кторского смо́тра никто́ **не смел дохну́ть.**

СМЕХ да и то́лько.
It's enough to make a cat laugh; it just makes you laugh.
На́ша сосе́дка всё вре́мя говори́т, что она́ бароне́сса фон Фи́нтих ... **Смех да и то́лько.**

Поднима́ть, подня́ть *кого-л.* на СМЕХ.
To make fun of somebody.
Нельзя́ **поднима́ть** его́ **на смех:** он все́ми уважа́емая ли́чность.

Не до СМЕ́ХА/У *кому-л.*
One is in no mood for laughter.
«Друг, что с тобо́й? Все веселя́тся, смею́тся, а ты?!» — «Мне **не до сме́ха**».

Па́дать от СМЕ́ХА (*или* со сме́ху).
To laugh much and strongly.
Кака́я же коми́ческая была́ карти́на! И сюже́т, и де́йствующие ли́ца напомина́ли мне не́сколько собы́тий в на́шем городке́; я про́сто **па́дала от сме́ха.**

Чуть не ло́пнуть от СМЕ́ХА.
To split/burst one's sides with laughter.
Слу́шая его́ шу́тки, я **чуть не ло́пнул от сме́ха.**

Ло́пнуть со СМЕ́ХУ.
To burst with laughter.
Мо́жно **ло́пнуть со сме́ху,** когда́ Пётр расска́зывает анекдо́ты.

Па́дать со СМЕ́ХУ.
см. Па́дать от СМЕ́ХА.

Помира́ть со́ СМЕХУ.
To burst one's sides with laughter.
Актёр име́л тако́й коми́чный вид, что мы все **помира́ли со́ смеху.**

СМЕШИНКА в рот попа́ла.
To laugh riotously without being able to stop.
Ну, что с ва́ми Ива́н Алексе́евич? Смеётесь и смеётесь ... **смеши́нка в рот попа́ла** вам?

СМОТРЕ́ТЬ в о́ба.
см. ГЛЯДЕ́ТЬ в о́ба.

СМОТРЕ́ТЬ *на кого-л.*
To follow somebody's example, to imitate.
Лени́вому ученику́ учи́тель сказа́л: «Отстаёшь, потому́ что ты лентя́й; **смотри́** на Гео́ргия и не бу́дешь отстава́ть».

СМОТРИ́ТЕ, не де́лайте э́того.
Take care not to do that.
— Не бу́ду продолжа́ть э́ту рабо́ту. Она́ мне скучна́.
— **Смотри́те, не де́лайте э́того,** а то мо́жете оста́ться совсе́м без рабо́ты.

Се́ять СМУ́ТУ.
To saw/spread discord.
В окре́стных сёлах появи́лись бунтари́ . . . Ло́жными ука́зами, я́кобы от губе́рнской канцеля́рии, они́ ста́ли **се́ять сму́ту**.
Шишков, Емельян Пугачёв.

В буква́льном СМЫ́СЛЕ (э́того) сло́ва.
Literally.
Это я сказа́л не в перено́сном, а **в буква́льном смы́сле (э́того) сло́ва**.

В по́лном СМЫ́СЛЕ сло́ва.
In the true/full sense of the word.
Он был **в по́лном смы́сле сло́ва** богаты́рь.
Лесков, Очарованный странник.

Как СНЕГ на́ голову.
Like a bolt from the blue.
Эта но́вость была́ для неё **как снег на́ голову.**

Ни СНОМ ни ду́хом не винова́т.
Absolutely blameless.
Его́ приговори́ли к тюре́мному заключе́нию, а пото́м вы́шло, что он **ни сном ни ду́хом не́ был винова́т.**

Ни СНОМ ни ду́хом не знать.
To know absolutely nothing.
Вы, пожа́луйста, не спра́шивайте меня́ о его́ ли́чной жи́зни: я **ни сном ни ду́хом не зна́ю** его́.

Спать (*или* засну́ть, усну́ть и т. п.) ве́чным (*или* после́дним, моги́льным и т. п.) СНОМ (*или* спать сном моги́лы).
To be dead, to sleep the eternal sleep.
Он всю жизнь труди́лся для на́шего о́бщества. Сего́дня он **усну́л ве́чным сном.** Сохрани́м хоро́шую па́мять о нём.

Спать (*или* засну́ть, усну́ть) мёртвым СНОМ.
To sleep soundly, to be fast asleep.
Заве́дующий магази́ном вы́пил буты́лку вина́ и **засну́л мёртвым сном.**

Как СОБА́КА на се́не.
Like a dog in the manger.
Он сам не по́льзуется э́той кни́гой и други́м не даёт; то́чно **как соба́ка на се́не.**

Как СОБА́КА уста́ть (*или* изму́читься).
To be entirely/completely exhausted.
Изму́чился, как соба́ка: рабо́тал с утра́ до ве́чера.

Ну́жен, нужна́, ну́жно, ну́жны́ как СОБА́КЕ пя́тая нога́.
Necessary as a fifth wheel to a carriage.
— И на кой мне чёрт вас в ро́ту присла́ли? **Ну́жны́ вы** мне **как соба́ке пя́тая нога́**.
Куприн, Поединок.

СОБА́КУ съесть *в чём-л.* (*или на чём-л.*).
To have something at one's fingertips, to know something inside out, to be expert in.
Не обу́чивайте его́ э́тому де́лу, он же на нём **соба́ку съел.**

СОБО́Й.
In appearance.
Она́ была́ о́чень хороша́ **собо́й** и умна́.
Тургенев, Ася.

Лежа́ть на СО́ВЕСТИ.
Somebody is guilty; somebody is responsible for the crime.
Мы полага́ли, что **на** его́ **со́вести лежа́ла** кака́я-нибудь несча́стная же́ртва.
Пушкин, Выстрел.

По СО́ВЕСТИ говоря́ (*или* по со́вести сказа́ть).
Honestly speaking.
По со́вести сказа́ть, ва́ши замеча́ния раздражи́ли меня́.

Изъявля́ть, изъяви́ть СОГЛА́СИЕ.
To give one's consent.
Мой дя́дя **изъяви́л согласие** прие́хать ко мне на бу́дущей неде́ле.

К (вели́кому, глубо́кому и т. п.) СОЖАЛЕ́НИЮ.
Unfortunately.
К сожале́нию, у меня́ нет книг, кото́рые вам ну́жны́.

Теря́ть, потеря́ть СОЗНА́НИЕ.
To lose consciousness, to faint.
Графи́ня вбежа́ла в ко́мнату и, уви́дя своего́ му́жа под пистоле́том, **потеря́ла созна́ние**.

Ни за каки́е СОКРО́ВИЩА.
Not for the world.
Я не поступлю́ на медици́нский факульте́т **ни за каки́е сокро́вища.**

Хвата́ться за СОЛО́МИНКУ.
To catch/clutch at a straw.
То́нущий **хвата́ется за соло́минку.**

СОЛЬ земли́.
The salt of the earth.
Интеллиге́нция наро́да — э́то **соль земли́.**

Впада́ть, впасть в СОМНЕ́НИЕ.
To begin to have/harbor doubts.
У него́ нет си́льной во́ли: по́сле пе́рвой неуда́чи он уже́ **впал в сомне́ние,** дости́гнет ли он свое́й це́ли.

Не подлежи́т СОМНЕ́НИЮ.
To be beyond (any) doubt.
Не подлежи́т сомне́нию, что Мари́я Ива́новна вы́держит экза́мен.

СОН в ру́ку.
The dream has come true.
Ве́ре сни́лось, что к ней приду́т го́сти. «Ну и **сон в ру́ку»,** — воскли́кнула она́, когда́ ве́чером действи́тельно уви́дела госте́й.

Как (*или* то́чно, бу́дто) сквозь СОН по́мнить (*или* представля́ть и т. п.).
To remember vaguely, indistinctly.
Как сквозь сон по́мню моме́нт сме́рти де́душки.

Сквозь СОН слы́шать (*или* чу́вствовать).
To hear/feel through sleep.
База́ров **слы́шал сквозь сон** далёкие голоса́.

Ни с чем не СООБРА́ЗНО.
Quite out of place, incongruous, incomprehensible.
(В Алёше) всё в вы́сшей сте́пени **ни с чем не сообра́зно,** он хо́чет и на той жени́ться, и тебя́ люби́ть.

Достоевский, Униженные и оскорблённые.

Пе́рвый СОРТ.
What one may call first class, best.
Этот зубно́й врач ле́чит зу́бы **пе́рвый сорт.**

Заблуди́ться в трёх СО́СНАХ.
To lose one's way in broad daylight, to be unable to find a solution to a simple problem.
Ва́ня до́лго рабо́тал над арифмети́ческой зада́чей и не мог её реши́ть. Оте́ц указа́л ему́ сде́ланную им просту́ю оши́бку и сказа́л: «Ты, Ва́ня, **заблуди́лся в трёх со́снах».**

СОСТОЯ́НИЕ ду́ха.
см. РАСПОЛОЖЕ́НИЕ ду́ха.

Быть в СОСТОЯ́НИИ (+ инф.).
To be able to.
Он **был в состоя́нии** проста́ивать це́лые часы́ на одно́м ме́сте, не шевеля́сь и глядя́ в одну́ то́чку.

Чехов, Агафья.

Ме́лкая СО́ШКА.
Small fry.
(Я) така́я **ме́лкая** и ничто́жная **со́шка,** что меня́ мо́жно вы́гнать в ше́ю!

Чехов, Княгиня.

Сбить СПЕСЬ (*или* го́нор, форс и т. п.) *с кого-л.*
To humble one.
Что́бы **сбить** с неё врождённую **спесь,** он на́чал говори́ть ей пра́вду, кто она́ и что собо́й представля́ет.

Не к СПЕ́ХУ.
There is no hurry.
Кири́лл Ильи́ч согласи́лся, что до Ми́тиного пра́здника не на́до обру́шивать го́ре на мать. **Не к спе́ху!**

К. Тренёв, День рождения.

СПЕ́ШКА.
см. ГО́НКА.

СПИНА́ ло́мит.
One has got a backache.
Дед Илья́ помота́л голово́ю, прохрипе́л:
— Нет, я не пое́ду. **Спина́** что-то **ло́мит.**

Клони́ть СПИНУ.
см. Клони́ть ШЕ́Ю.

Пя́тая (*или* после́дняя) СПИ́ЦА в колесни́це (*или* в колесе́).
Fifth wheel of a coach, a tiny cog in the machine.
В э́том де́ле он нам так ну́жен как **пя́тая спи́ца в колесе́.**

Худо́й как СПИ́ЧКА.
As lean as a rake.
«Смотри́те, Ни́на Васи́льевна, на э́того джентльме́на, кото́рый вон там в углу́ разгова́ривает с како́й-то да́мой. Как он вам нра́вится?» — «Совсе́м не нра́вится: **худо́й как спи́чка».**

Отдава́ть, отда́ть СПРАВЕДЛИ́ВОСТЬ.
To render/do justice.
На́до **отда́ть** ему́ **справедли́вость:** он о́чень стара́ется.

СПРА́ВИТЬСЯ с собо́й.
To restrain one's emotion, to get back one's equanimity.
Наха́льство э́того челове́ка так взволнова́ло её му́жа, что он це́лый день не мог **спра́виться с собо́й.**

Без СПРО́СА.
Without permission.
Учени́к вы́шел из кла́сса **без спро́са.**

СТА́ЛО быть.
Consequently.
Вот я от вас письмецо́ сейча́с получи́л, всё слеза́ми зака́панное. **Ста́ло быть,** вам не хо́чется е́хать.

Достоевский, Бедные люди.

По СТАРИ́НКЕ.
In/after the old way/fashion/manner.
Этот крестья́нин всё ещё рабо́тает **по стари́нке.**

С како́й СТА́ТИ?
Why? What for?

— Ми́ша, наш сын, не хо́чет жени́ться; ему́ уже́ пора́ поду́мать об э́том.
— Ну, и пра́вильно де́лает. **С како́й ста́ти** ему́ жени́ться?

Передова́я СТАТЬЯ́.
Editorial.
В после́дней газе́те была́ о́чень хоро́шая **передова́я статья́.**

Как СТЕ́ЛЬКА пьян.
Drunk as a cobbler.
(Пору́чик) был **пьян,** но не **как сте́лька,** а так чуть-чуть.
Чехов, Скверная история.

СТЕНА́ в сте́ну (*или* стена́ о́б стену).
1. Near, next to.
2. To be close neighbors.
1. Ря́дом с университе́том, **стена́ в сте́ну,** нахо́дится библиоте́ка.
2. Моя́ подру́га живёт со мно́ю **стена́ о́б стену.**

Припере́ть (*или* прижа́ть) к СТЕНЕ́.
To drive somebody into a corner, to bring somebody to bay.
Обвинённый не хоте́л до́лго призна́ть себя́ вино́вным, но когда́ перекрёстным допро́сом **припёрли** его́ **к стене́,** он призна́лся во всём.

Лезть на СТЕ́НКУ.
см. ВЫХОДИТЬ из себя́.

Как о́б СТЕНУ (*или* в сте́ну, от стены́) горо́х.
(Like being) up against a blank wall.
«Говори́ть Ва́не, чтоб учи́лся, **как о́б стену горо́х.** Поговори́ ты с ним Па́вел», — обрати́лась жена́ к му́жу.

Лезть на́ СТЕНУ.
см. ВЫХОДИТЬ из себя́.

До тако́й СТЕ́ПЕНИ.
So, to such an extent, to such a degree.
Он зазнаётся **до тако́й сте́пени,** что ни с кем не хо́чет говори́ть.

Дёшево СТО́ИТЬ.
Is worth little, is of no account, isn't worth a song.
Обеща́ния Петра́ Ива́новича **дёшево сто́ят.**

Накрыва́ть, накры́ть на СТОЛ.
To set the table.
Ста́ршая дочь Ири́на уже́ **накры́ла на стол.**

Держа́ть СТО́РОНУ (*или* ру́ку).
To lend/render support, to be somebody's adherent, to side with somebody.
Я говори́л с ним вчера́ и узна́л, что он **де́ржит** на́шу **сто́рону;** поэ́тому наде́юсь, что бу́дем име́ть успе́х.

Отпусти́ть на все четы́ре СТО́РОНЫ.
To discharge.
— Учи́телем быть вы не мо́жете, до пе́нсии ещё не дотяну́ли... **отпусти́ть** же вас на произво́л судьбы́, **на все четы́ре сто́роны,** не совсе́м ло́вко.
Чехов, Дамы.

С одно́й СТОРОНЫ..., с друго́й стороны́, ...
On one hand, ... on the other hand, ...
Этот студе́нт, **с одно́й стороны́,** о́чень спосо́бный, **с друго́й стороны́,** лентя́й и поэ́тому не вы́держал экза́менов так, как до́лжен был вы́держать.

Стоя́ть (*или* быть) на СТРА́ЖЕ.
To be guard.
Войска́ и весь наро́д **стоя́т на стра́же незави́симости** свое́й страны́.

Быть (*или* находи́ться, содержа́ться) под СТРА́ЖЕЙ.
To be under arrest.
Джон Бра́ун пое́хал с тури́стами в чужу́ю страну́ и тепе́рь **нахо́дится** там **под стра́жей.**

Вписа́ть но́вую СТРАНИ́ЦУ.
To contribute something new and significant.
Этот слави́ст свои́ми труда́ми **вписа́л но́вую страни́цу** в ру́сское языкозна́ние.

Закла́дывать, заложи́ть СТРАНИ́ЦУ.
To put a mark at a page, to mark a page.
Ста́рый профе́ссор-рутинёр ко́нчил чита́ть ле́кцию и **заложи́л страни́цу** в свое́й тетра́ди.

Четы́ре СТРАНЫ све́та.
The four cardinal points.
Есть **четы́ре страны́ све́та:** восто́к, за́пад, юг, се́вер.

СТРАХ берёт.
One feels fear.
Страх меня́ **берёт,** когда́ ду́маю о на́шем путеше́ствии в Азию.

Чита́ть ме́жду СТРОК.
To read between the lines.
Ни́на получи́ла из-за грани́цы письмо́ от знако́мых и ника́к не мо́жет поня́ть смы́сла напи́санного. Её подру́га, прочита́в письмо́ и объясни́в его́ смысл, сказа́ла Ни́не: на́до уме́ть **чита́ть ме́жду строк.**

Сгора́ть, сгоре́ть от СТЫДА́.
To burn with shame.
На друго́й день по́сле ба́ла он чуть не **сгоре́л от стыда́,** когда́ ему́ сказа́ли, что он был пьян на балу́ и сказа́л пло́скую гру́бость в прису́тствии дам.

Подня́ть СТЯГ (*или* стя́ги) на.
To begin military action against.
Пуска́й же все **поды́мут** общий **стяг** на Ту́рцию!
А. К. Толстой, Царь Борис.

Расправля́ться, распра́виться без СУДА́.
To take the law into one's own hands.
Оби́женный гро́зно взгляну́л на своего́ оскорби́теля и сказа́л: «Я с тобо́й **распра́влюсь без суда́!**»

Приведёт СУДЬБА́ (*или* слу́чай).
см. Приведёт БОГ.

Реша́ть, реши́ть СУДЬБУ́.
см. Реша́ть, реши́ть У́ЧАСТЬ.

СУМА́ перемётная.
Individual unsteady in his convictions.
Он уже́ был и демокра́том, и республика́нцем, и прогресси́стом . . . Сло́вом, э́то **сума́ перемётная.**

Под СУРДИ́НКОЙ.
см. Под СУРДИ́НКУ.

Под СУРДИ́НКУ (*или* под сурди́нкой).
1. Quietly, softly, gently, silently.
2. On the sly, on the quiet.
1. Да́же трамва́и звене́ли как-то **под сурди́нку.**
Н. Никитин, Северная Аврора.
2. **Под сурди́нку** уезжа́ли из Ка́менской каза́ки́, не жела́вшие войны́.
Шолохов, Тихий Дон.

Без СУЧКА́, без задо́ринки.
см. Без ЗАДО́РИНКИ.

Ни СУЧКА́, ни задо́ринки.
см. Без ЗАДО́РИНКИ.

Говори́ть по СУЩЕСТВУ́.
To speak to the point.
Никола́й Васи́льевич, **говори́те,** пожа́луйста, **по существу́;** не отклоня́йтесь от те́мы.

СХОДИ́ТЬ, сойти́ на нет.
1. To disappear completely.
2. To lose all significance/power, to come to naught.
1. Его́ го́лос **схо́дит на нет**.
2. Все на́ши пла́ны **сошли́ на нет**.

Попыта́ть СЧА́СТЬЯ (*или* сча́стье).
To try one's luck.
«Бою́сь держа́ть экза́мен. Не совсе́м хорошо́ подгото́влен». — «Ну, **попыта́йте сча́стья**».

За СЧЁТ *чего-л.*
At the expense of.
Больша́я ко́мната — приёмная ба́рского до́ма: её увели́чили **за счёт** друго́й ко́мнаты, вы́ломав стену́.
Горький, Фальшивая монета.

СЧЁТА нет *кому-л., чему-л.*
Very much, very many.
Его́ счита́ют о́чень бога́тым. Говоря́т, что у него́ **счёта** деньга́м **нет.**

Не знать СЧЁТА деньга́м.
To have more money than one can count.
Не́сколько лет тому́ наза́д он **не знал счёта деньга́м,** а сего́дня он безде́нежный челове́к: аза́ртная биржева́я игра́ привела́ в упа́док его́ дела́.

Сбро́сить (*или* ски́нуть, снять) со СЧЁТА (*или* со счето́в).
To leave out of one's reckoning.
Ра́ньше он счита́лся со мне́нием Алексе́я, но убеди́вшись в том, что Алексе́й подле́ц, **сбро́сил** его **со счёта.**

В коне́чном (*или* после́днем) СЧЁТЕ.
In the end, finally.
Тепе́рь он вспомина́л, как его́ увезли́ и как он, **в коне́чном счёте,** попа́л в концентрацио́нный ла́герь.

Ро́вным СЧЁТОМ ничего́.
Just nothing.
Уверя́ю вас в том, что он об э́том соверше́нно ничего́ не бу́дет знать. **Ро́вным счётом ничего́!**

Быть на хоро́шем СЧЕТУ́.
To have good credit, to be in good repute.
Ольга Па́вловна **была́ на хоро́шем счету́,** потому́ что была́ пре́данной учи́тельницей и всегда́ име́ла хоро́шие успе́хи в свое́й рабо́те.

Своди́ть, свести́ СЧЁТЫ *с кем-л.*
1. To settle a score with somebody, to square accounts with somebody.
2. To take vengeance.
1. (Свири́дов): Я пое́ду, **сведу́ счёты** с компаньо́нами, возьму́ свои́ де́ньги, куплю́ здесь зе́млю.
Чернышевский, Драма без развязки.
2. Но́жин ушёл, окрылённый наде́ждой, что ему́ уда́стся **свести́** ста́рые **счёты** с генерал-адъюта́нтом и его́ супру́гой.
Степанов, Порт-Артур.

Как СЫР в ма́сле (ката́ться).
To live on the fat of the land, to live in clover.
Есть лю́ди, кото́рые живу́т бе́дно, но есть и мно́го таки́х, кото́рые живу́т, **как сыр в ма́сле (ката́ются).**

Т

ТАК и́ли ина́че.
1. In any event, in any case.
2. In either event, one way or another.
1. **Так и́ли ина́че,** тебе́ приде́тся ле́том рабо́тать.
2. **Так и́ли ина́че,** я свое́й це́ли дости́гну.

ТАК-то так, но (*или* а, да) . . .
That's true, but . . .
(Аксю́ша:) А ты забу́дь своё го́ре на вре́мя-то, пока́ я с тобо́й! (Пётр:) **Так-то так, да** всё ра́дости ма́ло.
А. Островский, Лес.

ТАК то́лько.
For no special reason, for no reason in particular.
Не обраща́йте внима́ния на её слова́: она́ **так то́лько** э́то сказа́ла.

ТАК то́чно.
Yes.
— Вы служи́ли когда́-нибудь в пехо́те?
— **Так то́чно.** Во вре́мя пе́рвой мирово́й войны́.

И ТАК.
As it is.
В ко́мнате **и так** жа́рко, а ты ещё хо́чешь топи́ть.

И ТАК и сяк.
см. (И) ТАК и так.

(И) ТАК и так (*или* и так и сяк; и так и э́так; то так, то сяк; то так то э́так).
1. **This way and that; this way, that way and every way.**
2. **Differently; now good, now bad; sometimes good, sometimes bad.**
1. Хлопо́т Марты́шке по́лон рот: Чурба́н она́ то понесёт, **То так, то сяк** его́ обхва́тит.
Крылов, Обезьяна.
2. Каково́ торгу́ет ва́ша ми́лость? — спроси́л Адриа́н. — Эхе-хе, — отвеча́л Шульц, — **и так и сяк.**
Пушкин, Гробовщик.

(И)ТАК и э́так.
см. (И)ТАК и так.

То ТАК то сяк.
см. (И)ТАК и так.

То ТАК то этак.
см. (И)ТАК и так.

Закопа́ть (*или* зары́ть) ТАЛА́НТ (в зе́млю).
To waste one's ability.
Ба́рсов не ходи́л в музыка́льную шко́лу и поэ́тому **закопа́л** свой **тала́нт.**

ТАМ и тут (*или* там и сям; там-сям; тут и там).
Here and there.
На ре́льсах **там и сям** замелька́ли сигна́льные огни́.
Чехов, Дачники.

Быть не в свое́й ТАРЕ́ЛКЕ.
To be upset, to be not quite oneself.
С ним невозмо́жно говори́ть сего́дня. Что случи́лось, не зна́ю, но он **не в свое́й таре́лке.**

Куда́ ТЕБЕ́.
You'll never be able to do it! It is out of your reach!
— Я хоте́л бы стать астрона́втом.
— **Куда́ тебе́,** сын! Не ду́май об э́том.

Спасть с ТЕ́ЛА (*или* в те́ле, с лица́).
To grow thin.
Она́ была́ в го́спитале два ме́сяца и ужа́сно **спа́ла с те́ла.**

Держа́ть в чёрном ТЕ́ЛЕ.
To ill-treat/maltreat somebody.
Ма́чеха **де́ржит** па́дчерицу **в чёрном те́ле:** пло́хо ко́рмит и одева́ет её и суро́во обраща́ется с ней.

Спасть в ТЕ́ЛЕ.
см. Спасть с ТЕ́ЛА.

Вме́сте с ТЕМ.
Concurrently, at the same time.
Тот день был днём ужа́сных пережива́ний, но **вме́сте с тем** и днём усиленной ве́ры в счастли́вое бу́дущее.

Вслед за ТЕМ.
Subsequently, then, thereupon.
Вслед за тем он встал с посте́ли, взял скри́пку и на́чал стро́ить.
Л. Толстой, Альберт.

Ме́жду ТЕМ как.
While, whereas.
Я уже́ получи́л до́кторскую сте́пень, **ме́жду тем как** мой друг ещё не получи́л и маги́стерской сте́пени.

ТЕМНЫМ-темно́.
Pitch-dark.
По́здней но́чью мы возвраща́лись домо́й. Бы́ло **темны́м-темно́**. Мы с трудо́м различа́ли друг дру́га.

Боя́ться со́бственной ТЕ́НИ.
To be afraid of one's own shadow.
Во вре́мя вое́нной диктату́ры лю́ди **боя́лись со́бственной те́ни.**

Держа́ться (*или* быть, стоя́ть и т. п.) в ТЕНИ́.
To remain in the shadow, to keep in the background, to efface/obliterate oneself.
Он о́чень спосо́бный и дарови́тый челове́к, но скро́мность не позволя́ет ему́ хва́статься свои́ми заслу́гами. Он ре́дко говори́т о себе́ и **де́ржится в тени́.**

ТЕНЬ но́чи.
см. Ночна́я ТЕНЬ.

Броса́ть, бро́сить (*или* кида́ть, ки́нуть) ТЕНЬ *на.*
To cast aspersions on.
Нельзя́ **броса́ть тень** на касси́ра. Он добропоря́дочный челове́к, и я уве́рен в том, что э́то не он укра́л де́ньги.

Ночна́я (*или* вече́рняя) ТЕНЬ (*или* тень но́чи).
Dusk, twilight.
Со́лнце зашло́. На́ землю опусти́лась **ночна́я тень.**

Одна́ ТЕНЬ оста́лась *от кого-л.*
One is the shadow of one's former self.
По́сле тяжёлой опера́ции от неё **оста́лась одна́ тень.**

Быть (*или* сде́латься) ТЕ́НЬЮ *кого-л.*

1. To follow somebody relentlessly, to be always with somebody.
2. To be entirely under the influence of somebody.
1. На виду́ у всех Цвету́хин **сде́лался те́нью** Ано́чки.
Федин, Необыкновенное лето.

2. У него́ и мне́ния своего́ нет... Это **тень** и го́лос Вата́гина.
Гладков, Энергия.

Ни ТЕПЛО́ ни хо́лодно *кому-л. от чего-л.*
It doesn't make any difference as far as one is concerned.
«Слыха́л, Па́вел? Твоя́ бы́вшая неве́ста выхо́дит за́муж». — «Мне от э́того **ни тепло́ ни хо́лодно**».

Выводи́ть, вы́вести из ТЕРПЕ́НИЯ.
To try somebody's patience, to exasperate.
Упря́мство сы́на **вы́вело** отца́ **из терпе́ния.**

Вы́йти из ТЕРПЕ́НИЯ.
To lose patience, to become angry.
Ива́н не мог до́льше слу́шать агита́тора, говоря́щего я́вную непра́вду, **вы́шел из терпе́ния** и про́сто сказа́л, что агита́тор врёт.

Не́чего ТЕРЯ́ТЬ.
Nothing to lose.
Есть риск, Пётр — я зна́ю, что э́то большо́й риск, — но мне **не́чего теря́ть.**

В ТЕЧЕ́НИЕ *чего-л.*
During.
В тече́ние неде́ли студе́нт прочита́л две кни́ги.

С ТЕЧЕ́НИЕМ вре́мени.
In time, in due course, eventually.
Я тебя́ понима́ю, мой друг: у тебя́ нет рабо́ты, жена́ больна́, де́ти ещё ма́ленькие, но **с тече́нием вре́мени** всё нала́дится и ты бу́дешь дово́лен свое́й жи́знью.

ТИШЬ да гладь.
Peace and harmony.
В до́ме у её роди́телей была́ **тишь да гладь,** а тепе́рь у неё мно́жество забо́т.

(Да) и ТО.
And even (then).
Вино́ подава́лось у нас то́лько за обе́дом, **и то** по рю́мочке.
Пушкин, Капитанская дочка.

Не ТО, что́бы...
Not exactly, it is not that...
Он **не то, что́бы** был глуп, но он лени́в.

Несмотря́ на ТО, что...
In spite of the fact that.
Несмотря́ на то, что шёл дождь, мы пое́хали в го́сти к ро́дственникам.

Ни ТО ни сё.
1. **Neither fish, flesh, nor good red herring.**
2. **So-so, neither bad nor good.**
1. «Како́е мировоззре́ние у ва́шего сосе́да?» — «**Ни то ни сё**».
2. «Как у́чится ваш сын?» — «**Ни то ни сё**; то́лько в матема́тике он де́лает успе́хи».

До ТОГО́..., что.
To such a degree, so that.
Она́ **до того́** уста́ла, **что** не мо́жет говори́ть.

По́сле ТОГО́, как...
After...
По́сле того́, как го́сти уе́хали, мы пошли́ в рестора́н у́жинать.

Ма́лую ТО́ЛИКУ.
A little, a few.
Он не мог никогда́ удержа́ться, что́бы не приовра́ть **ма́лую то́лику.**
Мамин-Сибиряк, Гроза.

Что ТОЛКОВА́ТЬ.
Right, correctly, of course.
Ва́жно ты поёшь пе́сни, Его́рка... Уж **что** и **толкова́ть.** Он у нас на все ру́ки.
Станюкович, «Человек за бортом!».

Сбива́ть, сбить с ТО́ЛКУ.
To bewilder/confuse, to muddle, to disconcert.
Он на́чал дока́зывать правоту́ де́ла, но его́ **сби́ли с то́лку.**

ТО́ЛЬКО-то́лько.
Hardly.
То́лько-то́лько мы успе́ли притаи́ться за куста́ми, как внизу́ показа́лось сра́зу пя́теро вса́дников.
Гайдар, Школа.

ТО́ЛЬКО что... как.
Just, just now.
То́лько что вы уе́хали, **как** она́ пришла́.

Как ТО́ЛЬКО.
As soon as.
Я поговорю́ с ва́ми об э́том, **как то́лько** напишу́ э́то письмо́.

К ТОМУ́ же.
Moreover.
К тому́ же из его́ после́днего письма́ ви́дно бы́ло, что их заво́д эвакуи́руется в Сиби́рь.
Шишков, Любопытный случай.

В ТОН.
Of the same color.
Сту́лья **в тон** стола́.

Под ТОН.
In the same style.
Все ико́ны в це́ркви бы́ли **под тон** византи́йской архитекту́ры хра́ма.

До ТО́НКОСТИ (*или* в то́нкость).
In detail.
Люблю́ слу́шать, как он **до то́нкости** расска́зывает об э́том собы́тии.

В ТО́НКОСТЬ.
см. До ТО́НКОСТИ.

Говори́ть, сказа́ть ТО́НОМ ни́же.
To speak/talk in a calmer tone of voice.
«А вы, това́рищ заве́дующий, **говори́те то́ном ни́же,** — заговори́л колхо́зник Евста́хий. — Не на́ша в том вина́, что коро́вы не до́ятся: ко́рма нет».

Носи́ться *с чем-л.* как (дура́к) с пи́саной ТО́РБОЙ.
To fuss over something like a child over a new toy, to be like a child with a new toy.
Эта же́нщина везде́ постоя́нно говори́т о том, что она́ бароне́сса и **но́сится** с э́тим ти́тулом **как (дура́к) с пи́саной то́рбой.**

ТОСКА́ берёт.
One's heart is filled with longing.
Как поду́маю, что на́до уезжа́ть, **тоска́ берёт.**

Отдава́ться ТОСКЕ́.
To give oneself over to the grief.
Ио́на отъезжа́ет на не́сколько шаго́в, изгиба́ется и **отдаётся тоске́** . . .
Чехов, Тоска.

ТОСКОВА́ТЬ *по ком-л.*
To miss somebody.
До́лго и го́рько вы бу́дете пла́кать и **тоскова́ть** по мне.
К. Тренёв, День рождения.

Залива́ть, зали́ть ТОСКУ́ вино́м.
см. Топи́ть, утопи́ть ГО́РЕ в вине́.

Наводи́ть ТОСКУ́ *на.*
To bore somebody to death/tears.
Пе́сни баб **наводи́ли** на меня́ **тоску́.**
Пушкин, Выстрел.

ТО́ТЧАС же.
Right away, immediately.
Прие́хал до́ктор и вы́рвал больно́й зуб. Боль ути́хла **то́тчас же** и генера́л успоко́ился.
Чехов, Лошадиная фамилия.

Попа́сть в(са́мую) ТО́ЧКУ.
1. **To hit the nail on the head, to hit the mark.**
2. **To guess right.**
1. Прекра́сный вы́стрел, Ми́ша. Ты **попа́л в(са́мую) то́чку.**
2. Чува́ев **попа́л в то́чку.** Он в двух слова́х исче́рпал то, что други́е собира́лись вы́разить в дли́нных ре́чах.

В ТО́ЧНОСТИ.
Exactly/precisely.
Прика́з был испо́лнен **в то́чности.**
Герцен, Долг прежде всего.

ТОЧЬ-в-точь.
1. **Without any deviation.**
2. **Exactly in the same way.**
3. **Exactly the same.**
1. Солда́т испо́лнил прика́з команди́ра **точь-в-точь.**
2. Он то́чно так же говори́л, как и вы . . . **Точь-в-точь.**
3. Посмотри́ на её глаза́! Прекра́сные! **Точь-в-точь,** как у твое́й бы́вшей неве́сты.

Подня́ть ТРЕВО́ГУ.
To give the alarm, to raise an alarm.
Бомбардиро́вщики приближа́лись к го́роду . . . В го́роде **по́дняли трево́гу.**

В ТРУ́БЫ (*или* во все тру́бы) труби́ть.
To talk about somebody/something everywhere, to spread/broadcast the news.
Англи́йские газе́ты **труби́ли во все тру́бы,** что роди́лся короле́вич.

Взять (*или* приня́ть) на себя́ ТРУД.
To take the trouble of.
Ива́н Петро́вич **взял на себя́ труд** заня́ться э́тим де́лом.

Сизи́фов ТРУД.
см. Сизи́фова РАБО́ТА.

То́лько через мой ТРУП!
Only over my dead body!
— Я реши́тельно не хочу́, чтоб вы жени́лись на мое́й до́чери.
— Несмотря́ на ваш проте́ст, ва́ша дочь ста́нет мое́й жено́й.
—**То́лько че́рез мой труп!**

ТУДА́ и обра́тно (*или* туда́ и наза́д).
There and back.
У меня́ отли́чные ло́шади, до́ктор! Дак вам че́стное сло́во, что доста́влю вас **туда́ и обра́тно** в оди́н час.
Чехов, Враги

ТУДА́-сюда́.
Hither and thither.
Хо́дишь по земле́ **туда́-сюда́,** ви́дишь города́, дере́вни.
Куприн, Поединок

(И) ТУДА́ и сюда́.
Here and there.
Бе́шеная соба́ка бе́гала **туда́ и сюда́.**

То ТУДА́, то сюда́.
Either one way or the other, forth and back.
Пристава́, адвока́ты и суде́йские проходи́ли **то туда́, то сюда́.**
Л. Толстой, Воскресение

ТУЗ.

Big shot, bigwig, big pot.

На э́том балу́ бы́ли все **тузы́** го́рода.

ТУМА́Н в голове́.

One's mind is in a haze; one is in a fog.

У неё то́лько что был экза́мен, и от уста́лости у неё **тума́н в голове́.**

Поста́вить в ТУПИ́К.

To puzzle.

Свои́м вопро́сом учени́к **поста́вил** учи́теля **в тупи́к.**

ТУТ же.

Immediately, at once.

Пошёл мо́крый, дово́льно густо́й снег. Едва́ каса́ясь земли́, он **тут же** та́ял.

Нагибин, Ночно́й гость.

То ТУТ, то там, (*или* то там, то тут; то там, то сям).

Now here, now there.

В лесу́ **то тут, то там** красне́ла спе́лая клубни́ка.

Ходи́ть как ТУЧА.

To go about with black looks, with lowering face.

Что с тобо́й сего́дня, Ко́ля? **Хо́дишь как ту́ча** с са́мого утра́ . . .

Ишь ТЫ.

How do you like that?

Ба́тюшки, ско́ро рассвета́ть ста́нет. **Ишь ты,** но́чи-то ны́нче коро́че воробьи́ного но́су.

А. Островский, Воспитанница.

Посади́ть в ТЮРЬМУ́.

To put into prison.

Граждани́на Семёнова **посади́ли в тюрьму́** на два го́да.

У

Прийти́ к УБЕЖДЕ́НИЮ.

To reach a conclusion.

Ра́ньше и́ли по́зже вы **придёте к убежде́нию,** что я был прав, а вы ошиба́лись.

УВОЛЬНИ́ТЕЛЬНАЯ.

A pass.

В воскресе́нье вое́нный получи́л **увольни́тельную.**

УВЫ́ (*или* увы́ и ах!).

Alas!

Увы́, она́ уже́ уе́хала!

Из-за УГЛА́ уби́ть (*или* напа́сть, нанести́ уда́р и т. п.).

To kill/attack/strike underhandedly, on the sly.

Нанести́ уда́р проти́внику **из-за угла́** — э́то не геро́йство.

УГЛУБЛЯ́ТЬСЯ, углуби́ться в себя́ (*или* уйти́ в себя́).

To give oneself up to deep meditations, to be deep in thought.

Он до того́ **углуби́лся в себя́** и уедини́лся от всех, что боя́лся да́же вся́кой встре́чи, не то́лько встре́чи с хозя́йкой.

Достоевский, Преступление и наказание.

Со́лнечный УДА́Р.

Sunstroke.

Э́тот стари́к у́мер от **со́лнечного уда́ра.**

Без У́ДЕРЖУ.

Uncontrollably, unrestrainedly, without restraint.

Я всегда́ сори́ла деньга́ми **без у́держу,** как сумасше́дшая.

Чехов, Вишнёвый сад.

На УДИВЛЕ́НИЕ *кому-л.*

To somebody's gratification/pleasure/amazement.

Ири́на деклами́ровала стихотворе́ние прекра́сно . . . всем **на удивле́ние.**

Жить в своё УДОВО́ЛЬСТВИЕ.

To enjoy one's life.

Ива́н Серге́евич пое́хал в Аме́рику и **живёт в своё удово́льствие.**

Растя́гивать, растяну́ть УДОВО́ЛЬСТВИЕ.

To prolong a pleasure.

Ве́ра стара́лась **растяну́ть удово́льствие** украше́ния рожде́ственской ёлки.

Как УЖА́ЛЕННЫЙ.

Swiftly, impetuously.

Я отскочи́л от стены́, **как ужа́ленный.** Я испуга́лся.

Чехов, В море.

Накрыва́ть, накры́ть к У́ЖИНУ.

To set the table for supper.

Муж верну́лся с рабо́ты, и Ма́ша начала́ **накрыва́ть к у́жину.**

Держа́ть в УЗДЕ́.

To keep in check, to hold in leash.

Мать Турге́нева **держа́ла в узде́** всю свою́ семью́.

УЙТИ́ в себя́.

см. УГЛУБЛЯ́ТЬСЯ в себя́.

Не УКА́З (*или* не ука́зка) *кому-л.*

One can't be the authority for somebody.

Самоду́р всё си́лится доказа́ть, что ему́ никто́ **не ука́з,** и что он — что захо́чет, то и сде́лает.

Добролюбов, Тёмное царство.

Не УКА́ЗКА *кому-л.*
см. Не УКА́З *кому-л.*

Живо́й УКО́Р.
Living reproach.
Я зна́ла, отчего́ ты ушёл! Ты не хоте́л нам меша́ть и быть нам **живы́м уко́ром.**
Достоевский, Униженные и оскорблённые.

Расплы́ться в УЛЫБКЕ.
см. Расплы́ться в УЛЫБКУ.

Расплы́ться от УЛЫБКИ.
см. Расплы́ться в УЛЫБКУ.

Расплы́ться УЛЫБКОЙ.
см. Расплы́ться в УЛЫБКУ.

Расплы́ться в УЛЫБКУ (*или* в улы́бке, от улы́бки, улы́бкой).
To break into a smile, to grin.
В приоткры́тую дверь просу́нулось чьё-то просто́е, до́брое лицо́ и широко́ **расплы́ло́сь в улы́бку.**
Фурманов, Мятеж.

УМ (*или* рассу́док) помрачи́лся.
One's mind becomes dim.
Я уже́ ничего́ не зна́ю; **ум помрачи́лся.**

Взбрести́ на УМ.
см. Взбрести́ в ГО́ЛОВУ.

Живо́й УМ.
Lively wit/mind.
Старику́ уже́ во́семьдесят лет, а у него́ ещё тако́й **живо́й ум!**

Помрачи́ть УМ (*или* рассу́док).
To dull/dim somebody's mind.
Ужас, овладе́вший им, соверше́нно **помрачи́л** его́ **рассу́док.**
Куприн, Трус.

Све́тлый УМ (*или* све́тлая голова́).
Lucid mind, clear intellect, bright spirit.
Люблю́ чита́ть произведе́ния Толсто́го: у него́ **све́тлый ум,** хоро́шие мы́сли.

УМА́ не приложу́.
I have no idea; I am at a loss.
Наступи́ло молча́ние. Дире́ктор встал из-за стола́ и прошёлся из угла́ в у́гол, волну́ясь. — **Ума́ не приложу́,** что мне с ва́ми де́лать! — сказа́л он.
Чехов, Дамы.

Выжива́ть, вы́жить из УМА́.
To become a dotard, to be in one's second childhood, to take leave of one's senses.
Этот стари́к вы́глядит как бу́дто он **из ума́ вы́жил.**

Своди́ть, свести́ с УМА́.
1. **To drive one mad.**
2. **To carry away, to fascinate.**
1. Истяза́ние, применя́емое при допро́се обвиня́емого, чуть не **свело́** его́ **с ума́.**
2. Одно́й нару́жности, одного́ живо́го и весёлого ума́ ей доста́точно бы́ло, что́бы **свести́ с ума́** челове́ка.
С. Аксаков, Семейная хроника.

Сходи́ть, сойти́ с УМА́.
To lose one's mind, to become insane.
Говоря́т, что он уби́л свою́ жену́. Наве́рно **сошёл с ума́.**

У него́ УМА́ пала́та.
He is as wise as Solomon.
Тру́дно разобра́ться в э́том де́ле. Ду́маешь, ду́маешь и ни к како́му заключе́нию не прихо́дишь. На́до попроси́ть по́мощи у Ива́на Серге́евича: **у него́ ума́ пала́та.**

Он, она́ не в своём УМЕ́.
He, she is not right in the head.
Деловы́е неуда́чи так повлия́ли на него́, что **он** тепе́рь **не в своём уме́.**

Себе́ на УМЕ́.
Crafty.
Его́ тру́дно вы́звать на открове́нность: он **себе́ на уме́.**

Что на УМЕ́, то и на языке́.
To be frank.
Григо́рий — хоро́ший челове́к: у него́ **что на уме́, то и на языке́.**

Хоть УМРИ́.
By all means.
Мне **хоть умри́,** на́до получи́ть где́-нибудь два́дцать до́лларов.

В УНИСО́Н.
In concord.
Маркло́вский почу́вствовал, что и се́рдце Зо́и бьётся **в унисо́н** с его́ се́рдцем.
Мамин-Сибиряк, Без особенных прав.

Мота́ть на УС.
To observe silently and take good note of, to be all ears.
Дя́дя Алексе́й то́лько слу́шал и всё **мота́л** себе́ **на ус.**

Гото́вый к УСЛУ́ГАМ.
(This phrase is used as a closing of a letter.) Yours faithfully.
До ско́рого свида́ния, **гото́вый к услу́гам,** Гео́ргий Смирно́в.

Головокружи́тельный УСПЕ́Х.
Dizzy/giddy success.
Комме́рческий дире́ктор но́вого заво́да — дело́вой челове́к, и он коро́ткое вре́мя дости́г **головокружи́тельного успе́ха.**

С УСПЕ́ХОМ.
With success, successfully.
Они́ поздравля́ли всю тру́ппу **с успе́хом.**

Не сходи́ть с УСТ.
см. Не сходи́ть с ЯЗЫКА́.

Ва́шими бы УСТА́МИ мёд пить.
It is too good to be true; if only you were right!

«Не безпоко́йтесь, дорога́я. Я уве́рена в том, что ваш муж не уби́т и ско́ро уви́дите его́ до́ма». — «Ах, **ва́шими бы уста́ми мёд пить».**

На УСТА́Х у всех.

On everybody's lips.

Уби́йство президе́нта Кэ́ннэди бы́ло **на уста́х у всех**.

Не дотяну́ть до УТРА́.

Not to live out the night, not to last till morning.

Я то́лько что был у него́ в го́спитале. Ему́ сде́лали опера́цию. Он вы́глядит ужа́сно. Мне ка́жется, что он **не дотя́нет до утра́.**

В одно́ прекра́сное УТРО.

One fine morning.

В одно́ прекра́сное у́тро мы сде́лали экску́рсию в го́ры.

На́ УХО говори́ть (*или* сказа́ть, шепта́ть и т. п.).

To speak confidentially/secretly.

В гостя́х неприли́чно **говори́ть на́ ухо.**

Тугой на́ УХО.

Hard of hearing.

Говори́те погро́мче, пожа́луйста: я **туго́й на́ ухо.**

Принима́ть, приня́ть УЧА́СТИЕ *в ком-л.*

To take an interest in somebody.

К сожале́нию, заве́дующий отказа́лся приня́ть его́ на слу́жбу. Если б заве́дующий **при́нял** в нём **уча́стие,** име́л бы у себя́ на слу́жбе са́мого лу́чшего сотру́дника.

Принима́ть, приня́ть УЧА́СТИЕ *в чём-л.*

To participate, to take a hand in something.

Он с удово́льствием **при́нял уча́стие** в подгото́вке к съе́зду слави́стов.

Реша́ть, реши́ть У́ЧАСТЬ (*или* судьбу́).

To decide the outcome.

То́лько что мы се́ли, как я соверше́нно споко́йно начала́ говори́ть о том, что должно́ бы́ло **реши́ть у́часть** мое́й любви́.

Не ве́рить свои́м УША́М.

Not to believe one's ears.

Лю́ди **не ве́рили свои́м уша́м,** что наконе́ц война́ ко́нчилась.

Доходи́ть, дойти́ до УШЕ́Й.

To become known.

Дошло́ до мои́х **уше́й,** что вы име́ете наме́рение вы́йти в отста́вку.

Пропуска́ть, пропусти́ть ми́мо УШЕ́Й.

To take no heed of, not to pay attention, not to listen.

— Ма́ша, что он говори́л вам обо мне́ вчера́?

— Не по́мню . . . Я всё **пропусти́ла ми́мо уше́й.**

УШИ вя́нут.

It makes one sick to hear.

От э́той му́зыки у меня́ **у́ши вя́нут.**

Влюби́ться по́ УШИ.

To be head over heels in love.

Я никогда́ и не ду́мала, что он спосо́бен **влюби́ться по́ уши.**

Во все УШИ слу́шать.

To listen attentively/intently.

Де́ти **во все у́ши слу́шали** ска́зки, кото́рые ска́зывала им ба́бушка.

Прожужжа́ть (*или* прогуде́ть, прокрича́ть, протруби́ть и т. п.) У́ШИ *кому-л.*

To din into somebody's ears.

Эти разгово́ры уже́ **прожужжа́ли** мне **у́ши**.

Ф

Не в ФАВО́РЕ.

Not to be in somebody's good graces.

Я у заве́дующего **не в фаво́ре**, и поэ́тому не могу́ с ним говори́ть о приня́тии вас на рабо́ту.

Это-ФАКТ!

It's a fact!

Что он уби́т, **э́то — факт.** Я получи́ла телегра́мму.

Ста́вить, поста́вить пе́ред (соверши́вшимся) ФА́КТОМ.

To confront with a *fait accompli*.

Роди́тели не разреши́ли свое́й до́чери вы́йти за́муж за Анто́на Степа́новича, но дочь **поста́вила** их **пе́ред (соверши́вшимся) фа́ктом:** одна́жды ве́чером она́ пришла́ с Анто́ном и заяви́ла роди́телям, что она́ жена́ Анто́на.

Кру́пная ФИГУ́РА.

Outstanding figure.

Его́ оте́ц — сена́тор, **кру́пная фигу́ра,** а я ме́лкий слу́жащий.

По (*или* во) всей ФО́РМЕ.

As it should be.

(Горде́й Ка́рпыч): Хо́чешь сде́лать у себя́ ве́чер, позови́ музыка́нтов, что́бы э́то бы́ло **во всей фо́рме**.

А. Островский, Бедность не порок.

Сбить ФОРС.

см. Сбить СПЕСЬ.

Выполня́ть, вы́полнить ФУНКЦИИ.

To perform the duties .
Он вре́менно **выполня́ет фу́нкции** дире́ктора шко́лы.

Не ФУНТ изю́му.
It's not a trifle; it's not to be sneezed at.
«На́ша диви́зия **не фунт изю́му»,** — сказа́л команди́р.

На ФУФУ́.
Thoughtlessly, flippantly.
Он жил и живёт **на фуфу́.**

Х

Этого ещё не ХВАТА́ЛО.
That's a bit too thick; that's the limit; that would be the last straw.
У э́того больно́го нашли́ но́вую боле́знь: рак кро́ви. — О Бо́же, ему́ **э́того ещё не хвата́ло.**

ХВА́ТИТ!
That will do; enough of that.
Мы обсужда́ем э́тот вопро́с уже́ два ра́за. **Хва́тит . . .** Ну́жно вы́нести реше́ние.

С меня́ ХВА́ТИТ!
I have had enough.
До́льше жить в э́той ску́чной дереве́ньке мне не хо́чется. **С меня́ хва́тит!** За́втра уезжа́ю в го́род.

Быть (*или* висе́ть) на ХВОСТЕ́.
To overtake.
Пого́ня **висе́ла** уже́ **на хвосте́.** Слы́шен был то́пот приближа́вшейся бе́шеной ска́чки.
Мамин-Сибиряк, Хищная птица.

Стоя́ть в ХВОСТЕ́ *за чем-л.*
To stand in a queue for something, to queue up for something.
Деся́тки люде́й **стоя́т в хвосте́** за биле́тами.

С ХВО́СТИКОМ.
And (a little) more.
«Ско́лько вам лет?» — «Со́рок **с хво́стиком**».

Не велика́ (*или* не больша́я) ХИТРОСТЬ (+ инф.).
There is no trick to (it).
Не больша́я хи́трость догада́ться, что он хоте́л сказать.

ХЛЕБ — соль! (*или* хлеб да соль!, хлеб и соль!).
(This expression is used as a formal greeting at a party, welcoming guests, etc.).
Приглаша́я к столу́, хозя́ин сказа́л: «Пожа́луйста, сади́тесь, **хлеб да соль!**»

Сажа́ть, посади́ть на ХЛЕБ и на́ воду.
To put on bread and water.
Заключённого **посади́ли на хлеб и на́ воду.**

С ХЛЕ́БА на квас перебива́ться.
To live from hand to mouth, to live poorly.
«Как он живёт там, в чужо́й стране́»? — «И не спра́шивайте: **с хле́ба на квас перебива́ется».**

Быть (*или* жить) на ХЛЕБА́Х.
To eat somebody's salt.
Юноша жил четы́ре го́да **на хлеба́х** у свое́й тёти.

Жить на чужи́х ХЛЕБА́Х.
To be a dependant, to live at somebody else's expense.
У него́ нет рабо́ты, и уже́ второ́й год он **живёт на чужи́х хлеба́х.**

ХЛОПО́Т по́лон рот.
To have one's hands full.
«Ну что ж, отдыха́ете, Евге́ний Константи́ныч?» — «Не сме́йтесь на́до мной, Васи́лий Дими́триевич, у меня́ **хлопо́т по́лон рот».**

ХЛО́ПОТЫ не под си́лу.
One is not strong enough to be bothered; too many chores, heavy a burden.
Но Мари́я Никола́евна ещё не опра́вилась от боле́зни, ей **хло́поты не под си́лу.** Пришло́сь уступи́ть.
К. Тренёв. День рождения.

Быть под ХМЕ́ЛЕМ.
см. Быть под ХМЕЛЬКО́М.

Быть под ХМЕЛЬКО́М.
To be tipsy, to be lit up.
Мне ка́жется, что Гаври́ла уже́ **под хмелько́м.**

Дава́ть, дать ХОД.
1. To set going, to start, to give a start.
2. To get under way.
1. Шофёр **дал ход,** и автомоби́ль покати́лся по гла́дкому шоссе́.
2. Он дока́зывал, что завеща́ние бы́ло вы́манено наси́льно; и обеща́лся предста́вить свиде́телей своему́ обвине́нию . . .
Разуме́ется, де́лу **да́ли ход.**
Достоевский, Неточка Незванова.

Пойти́ в ХОД.
To begin to move.
Но́вые пла́тья в э́том магази́не **пошли́ в ход** и бы́ли бы́стро распро́даны.

Пусти́ть всё в ХОД.
To move heaven and earth.
Он **пу́стит всё в ход,** чтобы дости́гнуть вла́сти.

Пусти́ть в ХОД.
To set something going, to give something a start, to begin to use.
Университе́т купи́л языкову́ю лаборато́рию, но её **пу́стят в ход** то́лько че́рез две неде́ли, так как материа́л ещё не пригото́влен.

Не дава́ть, не дать ХО́ДА/У.
Not to give a chance to somebody to show his abilities in any field.
Он в своём прису́тственном ме́сте в заго́не, то есть **не даю́т хо́ду.**
Решётников, Свой хлеб.

По́лным ХО́ДОМ.
In full swing.
Всё устро́ено, и дела́ иду́т **по́лным хо́дом.**

ХО́ДУ (дать).
To go/run away very quickly.
Оле́ни смотре́ли на нас не́сколько секу́нд, а пото́м **(да́ли) хо́ду.**

Быть в большо́м ХОДУ́.
To be in vogue, to be in great request/demand.
Эти кни́ги **в большо́м ходу́.**

На ХОДУ́.
In passing, on one's way, with speed.
Команди́р **на ходу́** задава́л вопро́сы разве́дчикам, де́лал замеча́ния.

ХОДУНО́М ходи́ть (*или* идти́, пойти́).
1. **To shake/tremble/rock.**
2. **To be in disorder/quick motion.**
1. Че́рез мину́ту вся па́луба **ходи́ла ходуно́м** под деся́тками пля́шущих ног.
Степанов, Порт-Артур.
2. В посёлке Первома́йском всё **ходуно́м ходи́ло.** Навстре́чу У́ле несли́сь подво́ды, бежа́ли це́лые се́мьи.
Фадеев, Молодая гвардия.

Знать все ХО́ДЫ и вы́ходы.
1. **To know all the ins and outs.**
2. **To be perfectly at home.**
1. Вам не на́до беспоко́иться. Иди́те к адвока́ту, он вам помо́жет: он **зна́ет все хо́ды и вы́ходы.**
2. В э́том университе́те я **зна́ю все хо́ды и вы́ходы.**

Сам себе́ ХОЗЯ́ИН.
см. Сам себе́ ГОЛОВА́.

Соба́чий ХО́ЛОД.
Beastly cold.
Мне вспомина́ется 1941-ый год... Янва́рь... Моро́зная, сне́жная зима́... **Соба́чий хо́лод...**

Терпе́ть (*или* испы́тывать, пережива́ть и т. п.) ХО́ЛОД и го́лод.
To be in great need.
Мно́го люде́й **испы́тывало хо́лод и го́лод** во вре́мя второ́й мирово́й войны́.

Всего́ ХОРО́ШЕГО.
Good-bye.
— До свида́ния, Ма́ша.
— До свида́ния, Пе́тя. **Всего́ хоро́шего!**

Мы с ним ХОРОШИ́.
We are on good terms with him.
Он мне э́то сде́лает: **мы с ним хороши́.**

Если ХОТИТЕ, хо́чешь (вводн. сл.).
Perhaps, it is not unlikely.
«Он не горд?» — «Он? Нима́ло. То есть, **е́сли хоти́те,** он горд, то́лько не в том смы́сле, как вы понима́ете».
Тургенев, Накануне.

ХО́ЧЕШЬ не хо́чешь.
Willy-nilly, like it or not.
— Да что, ба́тюшка, де́лать, вот как э́ти пта́шки подрасту́т... — она́ ука́зывала на деви́ц, — **хо́чешь не хо́чешь,** на́до женихо́в иска́ть.
Л. Толстой, Война и мир.

Ц

Без ЦАРЯ́ в голове́ *кто-л.*
см. Нет ЦАРЯ́ в голове́.

Нет ЦАРЯ́ в голове́ (*или* без царя́ в голове́).
None too clever, short-witted.
С ней невозмо́жно говори́ть: у неё **нет царя́ в голове́.**

Дать ЦВЕТ.
To bloom, to blossom out.
Это вот гря́дка — огу́рчики. **Цвет** уже́ **да́ли,** звёздочками горя́т.
Гладков, Три в одной землянке.

В (во) ЦВЕ́ТЕ лет (*или* сил).
In the prime of life.
У Петро́вых невырази́мая тоска́: на про́шлой неде́ле их дочь умерла́ **во цве́те лет.**

В ро́зовом ЦВЕ́ТЕ (*или* све́те) ви́деть (*или* представля́ть и т. п.).
см. Сквозь ро́зовые ОЧКИ́ смотре́ть.

В ЦЕ́ЛОСТИ и сохра́нности (*или* невреди́мости).
Safe and intact.
Верну́вшись с войны́, он нашёл своё иму-

щество **в це́лости и сохра́нности.**

Име́ть ЦЕЛЬ.
см. Име́ть ЦЕ́ЛЬЮ.

Име́ть ЦЕ́ЛЬЮ (*или* име́ть цель).
1. To strive for, to try to achieve.
2. To be directed toward the achievement of a goal/aim.

1. Блаже́н . . . ,
Кто в жи́зни шёл большо́й доро́гой,
Большо́й доро́гой столбово́й, —
Кто **цель име́л** и к ней стреми́лся,
Кто знал, заче́м он в свет яви́лся.
Пушкин, Евгений Онегин.

2. Уда́р до́лжен был быть нанесён с за́пада на ю́го-восто́к, во фланг корни́ловцам, и **име́л це́лью** переpе́зать желе́зную доро́гу.
Федин, Необыкновенное лето.

С ЦЕ́ЛЬЮ (+ инф.).
With/for the purpose of (+ ger.).
(Я) начина́л мно́го раз свой дневни́к **с це́лью** заноси́ть в него́ ка́ждую ме́лочь.
Куприн, Прапорщик армейский.

Дорого́й ЦЕНО́Й.
At the price of great effort/sacrifices.
Дорого́й ценой заплати́л он за свои́ несправедли́вые посту́пки.

Любо́й (*или* како́й бы то ни́ было) ЦЕНО́Й дости́гнуть (*или* доби́ться и т. п.).
At any price/cost.
Он реши́л **доби́ться** своей це́ли **любо́й ценой.**

ЦЕНО́Ю/О́Й.
At the cost/price.
Этой це́ли мы дости́гли **ценою** больши́х же́ртв.

Быть в ЦЕ́НТРЕ внима́ния.
To be the focus of attention, to be in the spotlight.
Вы́боры но́вого президе́нта **бы́ли в це́нтре внима́ния** всего́ ми́ра.

Загну́ть ЦЕ́НУ.
To ask/charge an exorbitant price.
Людми́ла хоте́ла купи́ть зи́мнее пальто́, кото́рое ей о́чень понра́вилось, но продавщи́ца **загну́ла** таку́ю **це́ну,** что Людми́ла отказа́лась.

Знать себе́ ЦЕ́НУ.
To know one's own value.
Он о́чень спосо́бный, у него́ разносторо́ннее образова́ние, он до́лжен **знать себе́ це́ну.**

Сбить ЦЕ́НУ.
To beat down the price, to lower prices.
Ма́ша до́лго ждала́ и дождала́сь: в универса́льном магази́не **сби́ли це́ну** на зи́мние пла́тья, и тепе́рь она́ в состоя́нии купи́ть хоро́шее пла́тье.

Безу́мные ЦЕ́НЫ.
Extravagant prices.
Лу́чше не покупа́ть в э́том магази́не: тут **безу́мные це́ны.**

Ч

Дава́ть, дать на ЧАЙ.
см. Дава́ть, дать на ВО́ДКУ.

ЧАС в час.
Exactly/precisely, at the time fixed, to time, every hour on the hour.
Поезда́ отхо́дят и прихо́дят **час в час.**

ЧАС-друго́й.
For an hour or two.
Мы разгова́ривали об э́той но́вости **час-друго́й,** и я узна́л, что э́то проста́я вы́думка.

ЧАС о́т часу не ле́гче.
Things are getting worse and worse; one thing on top of another.
«Ну, всё нала́дилось?» — «Нет, **час о́т часу не ле́гче**».

Би́тый ЧАС.
A whole hour, a good hour.
Я ждал его́ **би́тый час.**

В до́брый ЧАС!
Good luck!
— На бу́дущей неде́ле уезжа́ю. Получи́л хоро́шее ме́сто.
— **В до́брый час!**

В свой ЧАС.
In time, in proper time, opportunely.
Ва́ше заявле́ние бу́дет рассмо́трено **в свой час.**

Коменда́нтский ЧАС.
A curfew.
Неприя́тельские войска́ за́няли го́род. Ввели́ **коменда́нтский час.**

Мёртвый (*или* ти́хий) ЧАС.
Rest hour.
В санато́рии по́сле обе́да **мёртвый час.**

Не в до́брый ЧАС.
In an evil hour, at an unlucky moment.
Макси́м Ильи́ч ча́сто говори́т, что он жени́лся **не в до́брый час.**

Не ровён (*или* ро́вен) ЧАС.
Who knows what may happen; one can never be sure.

Одéньтесь тепло́. На дворé хо́лодно. **Не ровён час**, мо́жете простуди́ться.

Послéдний ЧАС.

Death, decease, the final hour.

Мне так и каза́лось, что он ско́ро конча́ется. Вот пришёл его́ **послéдний час.**

С ЧАС.

About an hour.

«Как до́лго вы у́чите э́тот уро́к?» — **«С час».**

Это потрéбует ЧА́СА врéмени.

It will take an hour.

— Как до́лго мне придётся éхать по́ездом в Нью-Йо́рк?

— Это потрéбует ча́са врéмени.

По ЧАСА́М.

At a definite time.

«А лека́рство-то принима́ет?...» — «Да пьёт. Всё, как до́кторша говори́т, **по часа́м**».

Б. Полевой, Сильнодействующее.

На ЧАСА́Х стоя́ть.

To stand sentry, to keep watch.

Мы подошли́ к крéпости. **На часа́х стоя́ло** то́лько нéсколько солда́т.

По бо́льшей ЧА́СТИ.

см. Бо́льшей ЧА́СТЬЮ.

Рвать на ЧА́СТИ *кого-л.*

One is being torn to pieces; one is bothered too much.

Секрета́ршу э́того отделéния про́сто **рвут на ча́сти:** непреры́вные вопро́сы, дела́, поручéния...

В ЧА́СТНОСТИ.

Specifically, in particular.

Но́вый управля́ющий гла́вное внима́ние обраща́л бо́льше всего́ на форма́льную сто́рону дéла, **в ча́стности** — на канцеля́рские то́нкости.

Мамин-Сибиряк, Три конца.

Бо́льшей ЧА́СТЬЮ (*или* по бо́льшей ча́сти).

For the most part, mostly.

Семья́ Москвины́х живёт в Нью-Йо́рке, но он **бо́льшей ча́стью** в разъéздах и ма́ло быва́ет до́ма.

С ЧА́СУ на ча́с.

Every moment.

Анна Макси́мовна **с ча́су на ча́с** поджида́ла жениха́.

Мой ЧАСЫ́ врут на 5, 8, 10 (и т. д) мину́т.

My watch is five, eight, ten (and so on) minutes out.

— По ва́шим часа́м, как ви́жу, ужé чéтверть седьмо́го. Пойдёмте побыстрéе, а то опозда́ем на концéрт.

— Нет, не опозда́ем. Придём во́ врéмя. **Мой часы́ врут на 10 мину́т.**

Служéбные ЧАСЫ́.

Office hours.

В э́том учреждéнии **служéбные часы́** от 9 до 5.

По́лная ЧА́ША.

One lives in plenty.

Им хорошо́ живётся: у них дом **по́лная ча́ша.**

Приглаша́ть, пригласи́ть на ЧА́ШКУ ча́я (*или* на чай).

To ask to tea.

Ната́ша **пригласи́ла** свою́ подру́гу **на ча́шку ча́я.**

Переполнить ЧА́ШУ терпéния.

To exasperate somebody.

Издева́тельство, мучéние, пы́тки и го́лод в концентрацио́нном ла́гере **перепо́лнили ча́шу терпéния** угнетённых, и они́ реши́ли распра́виться с угнета́телем.

ЧЕГО́ там.

см. ЧТО там.

ЧЕЛОВÉК (*или* ма́стер) на все ру́ки.

Jack-of-all-trades.

«Господа́м Петро́вым жи́лось хорошо́ да́же во врéмя экономи́ческого кри́зиса». — «Не удивля́юсь э́тому: ведь господи́н Петро́в — **ма́стер на все ру́ки**».

ЧЕЛОВÉК с голово́й.

A man with brains, a man of sense.

Ива́н Степа́нович — **человéк с голово́й.**

Грéшный ЧЕЛОВÉК (вводн. сл.).

Sorry; I'm sorry.

Грéшный человéк, я не хотéл вас оби́деть.

Свой ЧЕЛОВÉК.

One connected with somebody or something by close relations, team-work, common convictions, etc.

Он здесь **свой человéк...** связь его́ с на́ми си́льная.

Сéрый ЧЕЛОВÉК.

Ignorant man.

Он **сéрый человéк,** но чéстный, трудолюби́вый, стара́тельный и поэ́тому полéзный в на́шем о́бществе.

Полтора́ ЧЕЛОВÉКА.

Very few people.

На э́том собра́нии бы́ло **полтора́ человéка.**

Бить (*или* ударя́ть) ЧЕЛО́М.

1. **To bow respectfully, to greet.**
2. **To ask somebody humbly.**
3. **To thank earnestly.**

1. Крестья́не снима́ли ша́пки пéред дворя́нами и **би́ли** им **чело́м.**
2. Крестья́нин реши́л **бить чело́м** дворя́нину, что́бы он при́нял его́ на рабо́ту.

Ни при ЧЁМ (быть).

Not to have anything to do with it, not to be involved.

Онѝ говоря́т, что я тут **ни при чём,** что прóсто несчáстный слу́чай.
Панова, Спутники.

Сидéть на ЧЕМОДÁНАХ.
To be ready to leave at any time.
Мнóгие лю́ди в лагеря́х, желáющие вы́ехать за границу, ужé нéсколько недéль **сидя́т на чемодáнах.**

Да к ЧЕМУ́ же э́то я?
But where does all this come in?
А вот лёгкий дым, весёлыми клубáми улетáет сейчáс к нéбу . . . **Да к чему́ же э́то я?** Это я — о жи́зни и смéрти.
К. Тренёв, День рождения.

Нé к ЧЕМУ.
It makes no sense.
Продолжáть разгорóр **бы́ло нé к чему.**

Ни к ЧЕМУ́.
Not needed.
Эти кни́ги мне **ни к чему́.**

ЧЕПУХÁ кипи́т в головé.
One's head is full of nonsense.
С вáми, Ивáн Эдуáрдович, нельзя́ договори́ться: у вас **чепухá кипи́т в головé.**

Порóть (*или* болтáть, городи́ть) ЧЕПУХУ́ (*или* чушь, дичь, вздор и т. п.).
To talk nonsense.
Андрéй Сергéевич, перестáньте **порóть чепуху́.** Ведь все знáют, что э́то нé было так, как вы говори́те.

Замори́ть ЧЕРВЯКÁ.
см. Замори́ть ЧЕРВЯЧКÁ.

Замори́ть ЧЕРВЯЧКÁ (*или* червякá).
To have a snack, to take a bite, to pick a mouthful.
Я зашёл в заку́сочную **замори́ть червячкá.**

Идти́ свои́м ЧЕРЕДÓМ.
To take its normal course.
С начáла óсени собы́тия **шли свои́м чередóм.**

Раскрои́ть *кому-л.* ЧÉРЕП.
To split somebody's skull.
Пья́ный, схвати́в со столá буты́лку, броси́л её в вошéдшего незнакóмца и **раскрои́л** ему́ **чéреп.**

Ехать (*или* идти́ и т. п.) как ЧЕРЕПÁХА (*или* черепáхой).
At a snail's pace, very slowly.
Егó стáрый автомоби́ль éдет нá гору, **как черепáха.**

Ехать (*или* идти́ и т. п.) ЧЕРЕПÁХОЙ.
см. Ехать (*или* идти́ и т. п.) как ЧЕРЕПÁХА.

ЧЕРНУ́ШКА.
A dark-complexioned, black-haired, and black-eyed girl.
Мне óчень нрáвится э́та **черну́шка.**

ЧЁРНЫМ по бéлому (написáть).
In black on white.
Сомнéния не мóжет быть в том, что вы получи́ли отстáвку: здесь **чёрным по бéлому** (напи́сано).

ЧЁРТ возьми́!
The deuce/devil take it.
Чёрт возьми́! Это не так легкó, как вы сказáли.

ЧЁРТ (егó) знáет.
Who the deuce/devil cares/knows.
— Скóлько он сегóдня вы́пил вóдки?
— А, **чёрт (егó) знáет.**

ЧЁРТ не брат.
It is all nothing.
Знáете, э́дакий купéческий сыни́шка фрáнтик . . . слу́шал где-то лéкции и уж ду́мает, что ему́ **чёрт не брат.**
Л. Толстой, Война и мир.

ЧЁРТ-те что (*или* где и т. п.).
No one knows what, where, etc.
(Васи́лий) глядéл женé на лоб . . . , на тёмно-си́ние глазá, блуждáющие **чёрт-те где.**
А. Н. Толстой, Пётр Первый.

Боя́ться как ЧЁРТ лáдана.
To be very much afraid of, as scared as the devil of the cross.
Он **бои́тся** её **как чёрт лáдана.**

Сам ЧЁРТ нóгу слóмит (*или* сам чёрт не разберёт).
There is no making head or tail of it.
В э́тих бумáгах совершéнная неразбери́ха. Тут **сам чёрт нóгу слóмит.**

Что за ЧЁРТ!
What the hell!
Вдруг мы услы́шали какóй-то шум в подвáле.
— **Что за чёрт!** — сказáл с раздражéнием муж.

В óбщих (*или* глáвных, основны́х) ЧЕРТÁХ.
Roughly, in (general) outline, in a general way.
Доклáдчик представи́л **в óбщих чертáх** междунарóдное полити́ческое положéние.

Допи́ться до ЧЁРТИКОВ.
To drink until one is sick, to be dead drunk.
Вчерá он пил, пил, покá не **допи́лся до чёртиков.**

Удостóить ЧÉСТИ.
To honor.
Дворя́нство здéшнее **удостóило** меня́ **чéсти** избрáния в предводи́тели.
Л. Толстой, Война и мир.

В ЧЕСТЬ.
In honor of.
Пётр назва́л сы́на Алекса́ндром **в честь** его́ де́душки.

Отда́ть ЧЕСТЬ под козырёк.
To salute in military fashion.
Я сде́лал по-вое́нному оборо́т на ме́сте и **о́тдал честь под козырёк.**
Е. Чириков, Соседка.

Вы́йти с ЧЕ́СТЬЮ *из чего-л.*
To find a way out with dignity.
Он **вы́шел с че́стью** из э́того затрудни́тельного положе́ния.

Не ЧЕТА́.
One is no match.
Ты не ду́май о нём: он тебе́ **не чета́.**

Без ЧИСЛА́.
Without number, in (great) numbers.
У изве́стного ру́сского промы́шленника Моро́зова де́нег бы́ло **без числа́.**

В том ЧИСЛЕ́.
Including.
На охо́ту отпра́вилось пять охо́тников, в **том числе́** две же́нщины.

На вся́кое ЧИХА́НИЕ не наздра́вствуешься.
You can't please everyone.
(Анна Петро́вна:) Ещё тут спле́тни ка-ки́е-то распусти́ли про Ма́шеньку!...
(Добротво́рский:) **На вся́кое чиха́ние,** суда́рыня, **не наздра́вствуешься.** Слу́шать-то не прихо́дится.
А. Островский, Бедная невеста.

До ЧРЕЗВЫЧА́ЙНОСТИ.
Extraordinarily, extremely.
На прие́ме у Никола́евых он вёл себя́ **до чрезвыча́йности** стра́нно.

ЧТО вы?
What do you mean?
Андре́й Васи́льевич: Я посижу́, почита́ю...
Ве́ра Никола́евна: **Что вы,** как мо́жно? мы бу́дем чай пить.
К. Кривошеин, Новоселье.

ЧТО до.
As for/to.
Что до меня́, то я согла́сен э́то сде́лать.

ЧТО-ли.
Perhaps.
— Нет ли тут, в апте́ке, чего́-нибудь тако́го... зна́ете ли... зе́льтерской воды́, **что-ли?**
Чехов, Аптекарша.

ЧТО слы́шно?
What's new? Any news?
Здра́вствуйте, Анто́н Анто́ныч! **Что слы́шно?**

ЧТО **с тобо́й,** с ним и т. д.?
What's wrong? What has happened?
— Ми́лая моя́ ду́шенька, **что с тобо́й?**
Л. Соболев, Невеста.

ЧТО тако́е?
What means, ... what is meant by ...
Скажи́те, пожа́луйста, **что тако́е** электри́чество?

ЧТО там! (*или* чего́ там).
Go on! Go ahead!
«Ма́ша, хоро́шая но́вость для тебя́!» (огля́дывается, что́бы узна́ть, не слы́шит ли кто́-нибудь). — «Ну, **что там!** Говори́, Та́ня, здесь никого́, мы одни́».

А ЧТО?
Why?
— Неуже́ли ты влюблён в меньшу́ю?
— **А что?**
— Я вы́брал бы другу́ю, когда́ б я был, как ты поэ́т..
Пушкин, Евгений Онегин.

А ЧТО же?
What about it?
«Апте́каршу, мо́жет быть, уви́дим». — «Вы́думал — но́чью!» — **«А что же?** Ведь они́ и но́чью обя́заны торгова́ть».
Чехов, Аптекарша.

Да ЧТО там.
Why speak of?
Матве́й: Разуме́ется! Не похо́ж на отца́. **Да что там** оте́ц! На самого́ себя́ не похо́ж!
П. Яльцев, Мафусаил.

Несмотря́ ни на ЧТО.
In spite of everything, despite everything.
Несмотря́ ни на что, он её лю́бит и хо́чет на ней жени́ться.

Ни за ЧТО.
1. **By no means.**
2. **In vain, for nothing.**
1. — «Мо́жете мне сказа́ть, о чём он с ва́ми говори́л?» — **«Ни за что!»**
2. Его́ уво́лили **ни за что.**

Хоть бы ЧТО.
To make nothing of, nothing to.
(Ксе́ния:) То — нигде́ его́ нет, то вдруг привёт! Как в пря́тки игра́ешь. Оте́ц-то крёстный — боле́ет, а тебе́ **хоть бы что.**
Горький, Егор Булычов и другие.

Быть в растрёпанных ЧУ́ВСТВАХ.
To be confused, to be troubled.
Я не мог говори́ть с ней вчера́ ве́чером, потому́ что она́ **была́ в растрёпанных чу́вствах** по́сле семе́йного несча́стья.

ЧУ́ВСТВО ло́ктя.
Feeling of fellowship, feeling of mutual help.
К сожале́нию, у неё нет **чу́вства ло́ктя:** она́ больша́я эгои́стка.

ЧУ́ВСТВОВАТЬ себя́.
To feel.
«Как **чу́вствуете себя́?**» — «Хорошо́, спаси́бо».

ЧУДНО́.
It is strange.
(Ники́та:) **Чудно́,** пра́во: то жени́ть, а то не на́до. Оконча́тельно не разберу́ ничего́.
Л. Толстой. Власть тьмы.

ЧУ́ДО как.
Very.
Его́ чёрный сюрту́к, ры́жая боро́дка и золоты́е очки́ бы́ли **чу́до как** хороши́.
Л. Толстой, Детство Никиты.

ЧУЖА́К, чужа́чка.
Stranger, alien.
Во вре́мя разгово́ра с ним я по произно... ше́нию сра́зу узна́л, что он **чужа́к.**

Ни ЧУ́ТОЧКИ.
Not a bit, not in the least.
Ему́ **ни чу́точки** не хо́чется поду́мать ... вас.

ЧУ́ТОЧКУ.
A little, a wee bit, just a bit.
Погоди́те **чу́точку,** я сейча́с верну́сь.

ЧУТЬ бы́ло не ...
Almost, nearly.
Наста́сья Ива́новна вдруг вспо́мнила: — Ах, да **чуть бы́ло не** забы́ла! Вчера́ пр... езжа́ла ко мне Ни́на Серге́евна и прос... ла за одного́ молодо́го челове́ка.
Чехов, Дам...

ЧУТЬ-ЧУТЬ.
Hardly, almost.
Я **чуть-чуть** не опозда́ла на по́езд.

Поро́ть ЧУШЬ.
см. Поро́ть ЧЕПУХУ́.

Ш

ШАГ за ша́гом.
Step by step.
Шаг за ша́гом мы добра́лись среди́ толпы́ до театра́льной ка́ссы.

Не отпуска́ть, не отпусти́ть ни на ШАГ.
Not to let somebody stray one step, not to let somebody stir a step from one's side.
Большо́й ма́льчик **не отпуска́л** свое́й ма́тери **ни на шаг** от себя́.

Не отступа́ть, не отступи́ть ни на ШАГ (*или* ни ша́гу).
Not to go back a step, not to retreat a step.
Сестра́ милосе́рдия сиде́ла с больны́м, **не отступа́я ни на шаг** от него́.

Ни на ШАГ (*или* ни ша́гу) *без.*
It is impossible to manage/do without.
Моя́ ма́ленькая дочь без меня́ **ни на шаг.**

Пе́рвый ШАГ.
см. Пе́рвые ШАГИ́.

Уско́рить ШАГ.
см. Приба́вить ША́ГУ.

Гига́нтскими (*или* семими́льными) ШАГА́МИ идти́ (*или* дви́гаться) вперёд.
To progress at great rate, to make a rapid progress.
Эта страна́ **гига́нтскими шага́ми идёт вперёд** в разви́тии культу́ры и цивилиза́ции.

В двух ШАГА́Х.
A few steps away.
Пётр живёт **в двух шага́х** от мое... бра́та.

Пе́рвые ШАГИ́ (*или* пе́рвый шаг).
The first steps.
Кра́ткие расска́зы э́того молодо́го писа... теля — э́то **пе́рвые шаги́** к его́ литера... ту́рной де́ятельности.

Далеко́ ШАГНУ́ТЬ.
To make great progress.
Соединённые Шта́ты Аме́рики **далек... шагну́ли** в разви́тии промы́шленности.

На ка́ждом (*или* вся́ком) ШАГУ́.
At every step/turn.
Жизнь — э́то борьба́ с препя́тствиям... **на ка́ждом шагу́.**

Не отступа́ть ни ША́ГУ.
см. Не отступа́ть ни на ШАГ.

Ни ША́ГУ *без.*
см. Ни на ШАГ.

Ни ША́ГУ наза́д (*или* да́льше, вперёд и т. п.).
Stay where you are! Hands up!
Вдруг он уви́дел пе́ред собо́й банди́та ... револьве́ром в руке́ и услы́шал его́ гро́м... кий го́лос: «**Ни ша́гу да́льше!**»

Приба́вить ША́ГУ (*или* уско́рить шаг).
To quicken one's pace.
Я **приба́вил ша́гу** и че́рез не́сколько м... ну́т дости́г поворо́та реки́.
Арсеньев, В горах Сихотэ-Алин...

ШАЛТА́Й-болта́й.
It's nothing; nonsense, fiddlesticks.

У него только **шалтай-болтай** в голове.

ШАПКАМИ закидать.

To win an easy victory.

«Мы их **шапками закидаем!»** — был всеобщий клич в России, когда Япония объявила войну.

Завести ШАРМАНКУ.

To start a boring conversation all over again.

Как только Иван **завёл шарманку,** мы с женой ушли.

Пусто хоть ШАРОМ покати.

Quite empty.

Ужение было неудачно; не поймали ни одной рыбы; в сумках **пусто хоть шаром покати.**

Ни ШАТКО ни валко.

So-so.

«Как вам живётся?» — **«Ни шатко ни валко».**

ШЕВЕЛИСЬ (-тесь).

Look lively!

(Акинтич) постучался у калитки и крикнул: — Эй ты, старый глухарь, **шевелись!»**

Мамин-Сибиряк, Хищная птица.

Сидеть (*или* быть, жить и т. п.) на ШЕЕ *у кого-л.* (*или* сесть на шею *кому-л.*).

To be a burden to somebody, to be on somebody's hands.

Этот молодой человек приехал в Америку и уже второй год **сидит на шее** у своих родственников.

ШЕПТУН.

1. **Whisperer.**
2. **Tattle-tale.**

1. В хоре набраны не басы, а **шептуны,** и все спились с кругу.

Н. Успенский, Тихая пристань.

2. (Суфлёр Павлов) известен как сплетник, состоящий при Батьке в должности «наушника» и **шептуна.**

Скиталец, Этапы.

Быть (*или* находиться, стоять) в одной ШЕРЕНГЕ *с кем-л.*

To be of the same rank, to be of the same status, to occupy equal position.

Благодаря своему таланту и старанию молодой преподаватель через пять лет уже **стоял в одной шеренге** со старшими преподавателями.

Гладить по ШЕРСТИ.

To flatter, to gratify.

Этот начальник любит, чтоб его **гладили по шерсти.**

Гладить против ШЕРСТИ.

To stroke somebody the wrong way, to rub somebody the wrong way.

Он очень чувствительный и обидчивый человек, поэтому лучше не **гладить** его **против шерсти.**

Бросаться, броситься на ШЕЮ.

To throw one's arms around somebody's neck.

Итак, ты оставляешь мать свою! — воскликнула Мария Александровна, ещё раз **бросаясь на шею** дочери.

Достоевский, Дядюшкин сон.

Гнуть ШЕЮ *перед кем-л.*

To cringe to somebody, to kowtow to somebody.

Денежная нужда заставляет его **гнуть шею** даже перед тёщей.

Клонить ШЕЮ (*или* голову, спину).

To submit, to resign oneself.

Иван Калита не воевал с татарами, а **клонил шею** перед татарским ханом и ездил к нему с подарками.

Намылить ШЕЮ (*или* голову) *кому-л.*

To give somebody a good rating, to haul somebody over the coals.

Отец **намылил** сыну **шею** за то, что сын не занимался и не сдал экзамена.

На свою ШЕЮ (*или* себе на шею).

To the detriment of self.

— Вот мы ... рассказывали старицкому воеводе сказку про козу косматую, да **на свою шею:** коза-то, вишь, вышла сама воеводша, так он нас со двора и велел согнать.

А. К. Толстой, Князь Серебряный.

По ШЕЮ.

Up to the neck.

У этой секретарши работы **по шею.**

Садиться, сесть на ШЕЮ *кому-л.*

см. Сидеть на ШЕЕ *у кого-л.*

Свернуть ШЕЮ *кому-л.*

To wring somebody's neck, to kill somebody.

Этот сумасброд начал драться со своим соседом и **свернул** ему **шею.**

ШИВОРОТ-навыворот.

Topsy-turvy, to put the cart before the horse.

Вы неправильно монтируете эту косилку: всё делаете **шиворот-навыворот.**

ШИТО да крыто.

Quietly, on the sly.

Во время войны место стоянки моей дивизии было **шито да крыто.**

Дрожать за свою ШКУРУ.

To be afraid of getting oneself into trouble.

Волк из лесу в деревню забежал — Не в гости, но живот спасая; **За шкуру** он **свою дрожал.**

Крылов, Волк и кот.

Снять три ШКУ́РЫ *с кого-л.*

To skin one alive, to ask an exorbitant price.

Вы не покупа́йте дом у э́того нота́риуса. Он с вас **три шку́ры сни́мет.**

Вот так ШТУ́КА!

That's a nice thing! That's great! What a surprise! What a blow!

«Дымов ухо́дит из на́шего университе́та. Он получи́л хоро́шее ме́сто в друго́м университе́те». — **«Вот так шту́ка!»**

В том-то и ШТУ́КА!

That is just the point!

— Не зна́ю, как вы́йти из э́того неприя́тного положе́ния...

— **В том-то и шту́ка!**

Не ШТУ́КА.

It is not difficult.

Ну, э́то сде́лать **не шту́ка!**

Встре́тить (*или* приня́ть и т. п.) в ШТЫКИ́.

To give a hostile reception.

Неприя́теля **встре́тили в штыки́.**

Подня́ть большо́й ШУМ.

см. Наде́лать ШУ́МУ.

ШУМЕ́ТЬ.

1. **To kick up a row, to swear, to brawl.**
2. **To make a fuss.**
3. **To give rise to a lot of talk, to attract general attention.**

1. Муж Анны ча́сто прихо́дит пья́ный, кричи́т и **шуми́т.**
2. Мно́го **шуме́ли** о но́вом зако́не, но из э́того ничего́ не вы́шло.

Наде́лать ШУ́МУ (*или* подня́ть большо́й шум).

To make a racket, to kick up a row, to cause a sensation.

Его́ докла́д **наде́лал** мно́го **шу́му.**

ШУ́ТКИ в сто́рону.

см. Кро́ме ШУ́ТОК.

ШУ́ТКИ пло́хи *с кем-л., чем-л.*

One is not to be trifled with.

Я сове́тую тебе́ обраща́ться с ней осторо́жно и внима́тельно: у неё мно́го зло́бы, и с ней **шу́тки пло́хи.**

В ШУ́ТКУ.

In jest, not seriously.

Не серди́сь, мой дорого́й! Я сказа́л э́то то́лько **в шу́тку.**

Не на (*или* не в) ШУ́ТКУ.

Very seriously.

Он **не на шу́тку** рассерди́лся.

Кро́ме ШУ́ТОК (*или* шу́тки в сто́рону).

Joking apart.

(Сосе́да) пойма́в нежда́нно за полу́,
Душу́ траге́дией в углу́,
Или (но э́то **кро́ме шу́ток**),
Тоско́й и ри́фмами томи́м,
Бродя́ над о́зером мои́м,
Пуга́ю ста́до ди́ких у́ток.

Пушкин, Евгений Онегин.

Щ

За о́бе ЩЕКИ́ уплета́ть (*или* упи́сывать и т. п.).

To eat heartily.

Ва́ня проголода́лся и **за о́бе щеки́ уплета́ет** всё, что на столе́.

Худо́й как ЩЕ́ПКА.

Thin as a lath.

Я про́сто его́ не узна́ла: он **худо́й как ще́пка.**

Ки́слые ЩИ.

1. **Sauerkraut soup.**
2. **Old drink, a kind of a fizzing kvass.**

1. Наста́сья вари́ла **ки́слые щи.**
2. В двух места́х продава́ли во́дку, в не́скольких **ки́слые щи,** кото́рые пи́ли преиму́щественно деви́цы.

Решётников, Глумовы.

Поднима́ть, подня́ть на ЩИТ.

To laud to the skies, to make a hero.

Этого генера́ла не без причи́ны **поднима́ют на щит:** его́ диви́зия победи́ла врага́ в тру́дной опера́ции.

На ЩИТЕ́ верну́ться.

To be defeated.

Похо́д Наполео́на на Москву́ ко́нчился неуда́чей: он **на щите́ верну́лся** во Фра́нцию.

Со ЩИТО́М верну́ться.

To conquer.

Два́дцать на́ших бойцо́в вступи́ли в рукопа́шный бой и **верну́лись со щито́м.**

Э

Сдава́ть ЭКЗА́МЕН.

To take an examination.

За́втра мой брат бу́дет **сдава́ть экза́мен.**

Сдать ЭКЗА́МЕН.

To pass an examination.

Мой друг **сдал экза́мен** на отли́чно.

Провали́ть (*или* сре́зать) на ЭКЗА́МЕНЕ.
To flunk.
Профе́ссор **сре́зал** студе́нта **на экза́мене.**

Провали́ться на ЭКЗА́МЕНЕ.
To fail, to be plucked.
Зи́на, к сожале́нию, **провали́лась на экза́мене.**

Ходя́чая ЭНЦИКЛОПЕ́ДИЯ.
An erudite person.
Он о́чень у́мный и образо́ванный челове́к, он **ходя́чая энциклопе́дия.**

Э́ТАК.
1. **So, in this manner, thus.**
2. **Approximately.**

1. Сиди́т **э́так** он, **э́так** я, а **э́так** стои́т Ка́тька-мерза́вка.
Салтыков-Щедрин, Помпадуры и помпадурши.

2. Изво́льте почита́ть, а дня **э́так** через два мы вас, даст Бог, на́ ноги поста́вим.
Тургенев, Уездный лекарь.

ЭТА́ПОМ.
см. По ЭТА́ПУ.

По ЭТА́ПУ (*или* ЭТА́ПОМ).
Under escort.
Ми́хельсон был вы́слан на Во́лгу **по эта́пу,** и его́ привезли́ в кандала́х, изъе́денного вша́ми.
Скиталец, Огарки.

Наряду́ с Э́ТИМ (*или* одновре́менно).
Side by side with this, at the same time.
Обвиня́емый созна́лся во всём, но **наряду́ с э́тим** стара́лся умали́ть свою́ вину́.

ЭТО (уж) сли́шком.
It is too much.
«То́лько послу́шайте, — говори́л учи́тель Фёдору Петро́вичу, — ваш сын ча́сто не прихо́дит на уро́ки, не подгота́вливается к уро́кам, в кла́ссе ворчи́т, спо́рит со мно́ю, ну, зна́ете, **э́то (уж) сли́шком**».

С ЭФФЕ́КТОМ.
Very expressively.
Арка́дий произнёс после́дние слова́ твёрдо, да́же **с эффе́ктом.**
Тургенев, Отцы и дети.

Ю

Ю́БКА.
Woman (as an object of a man's emotional involvment).
Молоды́х люде́й до́лжно в стро́гом повинове́нии держа́ть, а то они́, пожа́луй, от вся́кой **ю́бки** с ума́ схо́дят.
Тургенев, Гамлет Щигровского уезда.

Держа́ться за Ю́БКУ.
Not to show independence, to follow always the suggestions of a woman (usually a wife, or mother).
Все сосе́ди смею́тся над Григо́рием Григо́риевичем, что он **де́ржится за ю́бку** свое́й жены́.

Поки́нуть ЮДО́ЛЬ сию́.
см. ПРИКАЗА́ТЬ до́лго жить.

ЮЛА́.
Fidget.
Ми́ша, что с тобо́й, переста́нь верте́ться, **юла́.**

ЮЛИТЬ.
1. **To turn, to spin.**
2. **To fawn upon, to cringe to.**
3. **To be cunning/crafty.**

1. По земле́ ме́жду цвета́ми всю́ду **юли́ли** прово́рные жу́желицы.
М. Пришвин, Женьшень.

2. Не люблю́ его́ потому́, что он **юли́т** пе́ред нача́льством.
3. Он хи́трый челове́к. Всегда́ **юли́т** так, что не зна́ешь, где пра́вда, а где ложь.

Ю́РКИЙ.
Smart, pushy/intrusive.
«Кто у тебя́ реда́ктором-то?» — «Подковы́ркин ... Ма́лый **ю́ркий,** оборо́тливый ... Он мне и газе́ту-то издава́ть присове́товал».
Н Успенский, Народный начальник.

Я

Ада́мово Я́БЛОКО.
Adam's apple.
Его́ глаза́ блесте́ли, а кру́пное **ада́мово я́блоко** на его́ то́нкой ше́е то поднима́лось, то опуска́лось.

Бытово́е ЯВЛЕ́НИЕ.
Everyday occurrence.
Автомоби́льные катастро́фы в Аме́рике — **бытово́е явле́ние.**

Ви́нная Я́ГОДА.

Fig.
Вáня никогдá не ви́дел **ви́нной я́годы.**

ЯЗЫК на плечé.
One got very tired.
Кóля, отдохни́. С рáннего утрá рабóтаешь, как маши́на. У тебя́ ужé **язы́к на плечé.**

ЯЗЫК повернýлся, повернётся.
Somebody dared, will dare to say something.
Не понимáю, как у неё **язы́к повернýлся** сказáть э́то.

ЯЗЫК прили́п к гортáни.
One is unable to talk.
«Извини́те меня́, товáрищи, — сказáл агитáтор, — не могý дáльше говори́ть: у меня́ **язы́к прили́п к гортáни».**

ЯЗЫК развязáлся, развя́жется.
Somebody started, will start talking freely, at last.
Гóсти говори́ли о неинтерéсных для Николáя предмéтах, и он молчáл, но когдá коснýлись бли́зкого емý предмéта, у негó **язы́к развязáлся.**

ЯЗЫК хорошó подвéшен (*или* привéшен).
One has a ready tongue.
«Дени́сов говори́л хорошó вчерá». — «Да, у негó **язы́к хорошó подвéшен».**

ЯЗЫК чéшется сказáть.
One's tongue itches to say something.
У меня́ **язы́к чéшется** сказáть емý всю прáвду.

Держáть ЯЗЫК за зубáми (*или* на при́вязи).
To keep quiet, to hold one's tongue.
Мнóго друзéй у тогó, кто **дéржит язы́к за зубáми.**

Дли́нный ЯЗЫК.
A gossip, a person who is a tale-bearer.
Ты лýчше ничегó ей об э́том не говори́: у неё **дли́нный язы́к.** Скáжешь ей однó слóво, а онá сдéлает из негó истóрию.

Закуси́ть ЯЗЫК (*или* прикуси́ть язы́к).
To bite one's tongue, to become/fall suddenly silent, to lapse suddenly into silence.
Тут Ивáн Игнáтьич замéтил, что проговори́лся, и **закуси́л язы́к.**
Пушкин, Капитанская дочка.

Имéть óстрый ЯЗЫК.
To have a sharp tongue.
Этой пожилóй жéнщины все избегáют: онá **имéет** (у неё) **óстрый язы́к.**

Мёртвый ЯЗЫК.
Dead language.
В настоя́щее врéмя церковнославя́нский язы́к является **мёртвым языкóм.**

Найти́ óбщий ЯЗЫК *с кем-л.*
To find a common language with somebody, to get a working agreement.
Онá стрáнная жéнщина, и с ней трýдно **найти́ óбщий язы́к.**

Придержáть ЯЗЫК.
To hold one's tongue.
Если два дрýга ссóрятся, то посторóннему лýчше **придержáть язы́к.**

Проглоти́ть ЯЗЫК.
To lose one's tongue.
Он реши́л **проглоти́ть язы́к** и молчáл до сáмой больни́цы.
Паустовский, Колхида

Развязáть ЯЗЫК (*или* языки́) *комý-л.*
To loosen somebody's tongue, to make somebody talk.
Воспоминáния о смéрти сы́на **развязáли** мáтери **язы́к.**

Свя́зывать, связáть ЯЗЫК *комý-л.*
To make somebody keep silent/silence.
Диктатýра и ужáсный террóр **связáли язы́к** кáждому граждани́ну.

Сукóнный ЯЗЫК.
Clumsy/awkward style.
У э́того доклáдчика **сукóнный язы́к.**

Тянýть (*или* дёргать) за ЯЗЫК.
To make somebody say something.
Такóй он уж всегдá: молчали́в, неразговóрчив. Чтоб узнáть чтó-нибудь у негó нáдо всегдá **тянýть** егó **за язы́к.**

Эзóпов(ский) ЯЗЫК.
The language of Aesop, allegorical expression of one's thoughts.
Этот писáтель жил в странé рáбства, поэ́тому не удиви́тельно, что у негó **эзóпов(ский) язы́к.**

Не сходи́ть с ЯЗЫКÁ (*или* уст).
To mention somebody/something constantly.
Её и́мя **не схóдит** у негó **с языкá.**

Говори́ть на рáзных ЯЗЫКÁХ.
Not to understand each other.
Я дýмаю, спор уж давнó порá кóнчить — сказáл он. — Ясно, что мы **говори́м на рáзных языкáх** и никогдá не столкýемся.
Вересаев, Поветрие

Вертéться на ЯЗЫКÉ.
To be on the tip of one's tongue.
Фами́лия э́того сумасбрóда **вéртится у** меня́ **на языкé.** Не могý вспóмнить.

Говори́ть рýсским ЯЗЫКÓМ.
To speak clearly.
(Лопахин:) Вам **говоря́т рýсским языкóм,** имéние вáше продаётся, а вы тóчно не понимáете.
Чехов, Вишнёвый сад

Вы́еденного ЯЙЦÁ не стóит.

Something is not worth a farthing.
Этот спор **вы́еденного яйца́ не сто́ит.**

ЯКАТЬ.
Always to be using "I," to be egocentric.
Есть мно́го тщесла́вных и го́рдых люде́й, кото́рые всегда́ **я́кают.**

Возду́шная Я́МА.
Air pocket.
Когда́ мы лете́ли в Калифо́рнию, бы́ло мно́го **возду́шных ям,** и меня́ всё вре́мя тошни́ло.

Рыть Я́МУ *кому-л.*
To make/prepare a pitfall for somebody.
Этот учи́тель поступа́ет нече́стно: он **ро́ет я́му** своему́ колле́ге.

Вне себя́ от Я́РОСТИ.
Transported with rage, beside oneself with rage.
Вне себя́ от я́рости, Дми́трий размахну́лся и изо всей си́лы уда́рил Григо́рия.
Достоевский, Братья Карамазовы.

Привести́ в Я́РОСТЬ.
To infuriate somebody.
Её наха́льство **привело́** его́ **в я́рость.**

Прийти́ в Я́РОСТЬ.
To become furious, to fly into a rage.
Оте́ц **пришёл в я́рость,** когда́ узна́л, что его́ сын прогу́ливает уро́ки.

Откла́дывать, отложи́ть (*или* положи́ть) в до́лгий Я́ЩИК.
To shelve, to put off.
Алексе́й Кири́ллович напра́сно ждёт отве́та на своё проше́ние: его́ проше́ние **отложи́ли в до́лгий я́щик.**

BIBLIOGRAPHY

1. Абрамович А. В., Бельчиков Ю. А., Вакуров В. Н. и др. *Практическая стилистика русского литературного языка.* Москва, 1962.
2. Академия Наук СССР. *Грамматика русского языка,* тт. 1, 2. Москва, 1960.
3. Академия Наук СССР. *Словарь русского языка,* тт. 1, 2, 3, 4. Москва, 1957–61.
4. Ашукин Н. С., Ашукина М. Г. *Крылатые слова.* Москва, 1960.
5. Бедняков А. С. и Матийченко А. С. *Русский язык,* ч. 1. Москва, 1951, стр. 12-31.
6. Бельчиков Ю. А. *Интернациональная терминология в русском языке.* Москва, 1959.
7. Бочаров Г. К. *Родная литература,* хрестоматия для 6 класса средней школы. Москва, 1958.
8. Бродский Н. А., Кубиков И. Н. *Русская литература,* хрестоматия для 8 класса средней школы. Москва, 1959.
9. Валгина Н. С., Розенталь Д. Е., Фомина М. И., Цапукевич В. В. *Современный русский язык.* Москва, 1961, стр. 35–48.
10. Виноградов В. В. «Об основных типах фразеологических единиц в русском языке», *Шахматов А. А. 1864–1920: Сборник статей и материалов.* Москва–Ленинград, 1947, стр. 339–364.
11. Виноградов В. В. «Основные понятия русской фразеологии как лингвистической дисциплины», *Труды юбилейной научной сессии ЛГУ,* секция филологических наук, 1946, стр. 45–69.
12. Виноградов В. В. *Русский язык.* Москва-Ленинград, 1947, стр. 21–28.
13. Винокур Г. О. *Русский язык. Исторический очерк.* Москва, 1944.
14. Галкина Е. М.-Федорук, Горшкова К. В., Шанский Н. М. *Современный русский язык.* Москва, 1958, стр. 85–105.
15. Даль В. И. *Полное собрание сочинений* («Напутное слово»), т. 10. С.-Петербург, 1898.
16. Даль В. И. *Толковый словарь живого великорусского языка.* С.-Петербург-Москва, 1880; отпечатано: Москва, 1956.

17. Ефимов А. И. *История русского литературного языка.* Москва, 1954.

18. Земский А. М., Крючков С. Е., Светлаев М. В. *Русский язык,* ч. 1. Москва, 1955, стр. 64–72.

19. Истрина Е. С. *Нормы русского литературного языка и культура речи.* Москва-Ленинград, 1948.

20. Клюева В. И. *Краткий словарь синонимов русского языка.* Москва, 1956.

21. Кнып В. *Меткое слово.* Ташкент, 1959.

22. Краевский П. Д., Липаев А. А. *Русская Литература,* учебник-хрестоматия для 8 классов нерусских средних школ. Москва, 1950.

23. Кудрявцев М. М., Неверов С. В., Бонди Е. А. *Русско-английский разговорник.* Москва, 1962.

24. Ларин Б. А. «Очерки по фразеологии», *Ученые записки ЛГУ,* вып. 24, т. 198. Ленинград, 1956.

25. Максимов С. В. *Крылатые слова.* Москва, 1955.

26. Миртов А. В. «Из наблюдений над русским языком в эпоху Великой Отечественной войны», *Вопросы языкознания,* ном. 4, 1953.

27. Михельсон М. И. *Русская мысль и речь. Свое и чужое. Опыт русской фразеологии.* Сборник образных слов и иносказаний. С.-Петербург, 1912.

28. Мюллер В. К. *Англо-русский словарь.* Москва, 1961.

29. Новиков Н. В. *Песни, сказки, пословицы, поговорки и загадки.* Вологодское книжное издательство, 1960, стр. 179–198.

30. Обнорский С. В. *Культура русского языка.* Москва-Ленинград, 1948.

31. Овсяников В. З. *Литературная речь: толковый словарь современной общелитературной фразеологии.* Москва-Ленинград, 1933.

32. Ожегов С. И. *Словарь русского языка.* Москва, 1960.

33. Реформатский А. А. *Введение в языкознание.* Москва, 1960. стр. 95–118.

34. Розенталь Д. Э. *Пособие по русскому языку для поступающих в вузы.* Москва, 1959.

35. Сазонова И. К. *Лексика и фразеология современного русского литературного языка.* Москва.

36. Смирницкий А. И. *Русско-английский словарь.* Москва, 1959.

37. Трофимов Н. А., Кудряшев Н. И. *Русская советская литература,* хрестоматия для 10 класса нерусской средней школы. Москва, 1959.

38. Ушаков Д. Н. *Русский литературный язык.* Москва, 1929.

39. Ушаков Д. Н. *Толковый словарь русского языка.* Москва, 1939.

40. Финкель А. М., Баженов Н. М. *Курс современного русского литературного языка*. Киев, 1960. стр. 115–132.

41. Шанский Н. М. *Лексикология современного русского языка*. Москва, 1964.

42. Bogatova, G., Vladimirski, E. and others. *Practical Russian*. Moscow.

43. *Dictionary of Spoken Russian*, Dover Publications, Inc. New York, 1958.

44. Dworecki I. H. *Słownik rosyjsko-polski*. Warszawa, 1949.

45. Faden, I. B. *A Book of Russian Idioms*. London, 1960.

46. Folonkina, S. and Weiser, H. *The Learner's English-Russian Dictionary*. Cambridge, 1963.

47. Grekowa N. I., Rozwadowska M. F. *Słownik polsko-rosyjski*. Warszawa, 1949.

48. Kramer, A. A. *Словарь «непризнанных» слов и жаргона*. Trenton, 1966.

49. Lapidus, B. A., and Shevtsova, S. V. *The Learner's Russian-English Dictionary*. Cambridge, 1963.

50. Neverov, S. V. *English-Russian Phrase-Book*. Moscow, 1960.

51. Segal, L. *Russian Idioms and Phrases*. London, 1944.

INDEX OF WRITERS QUOTED